FOLIO POLICIER

Elsa Marpeau

Les corps brisés

Gallimard

Elsa Marpeau a grandi à Nantes avant de venir s'installer à Paris à dix-huit ans. Elle est l'auteur d'une thèse sur « Les mondes imaginaires dans le théâtre du XVIIe siècle » et a enseigné à Nanterre. Elle a ensuite vécu à Singapour. Après *Les yeux des morts*, qui a reçu le prix *Nouvel Obs* - BibliObs du roman noir 2011, elle a publié *Black Blocs*, *L'expatriée*, *Et ils oublieront la colère* et *Les corps brisés* dans la Série Noire, ainsi que *Petit éloge des brunes* dans la collection « Folio 2€ ».

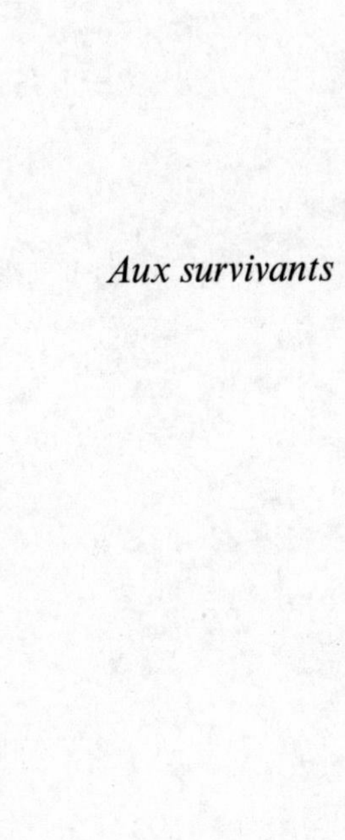

Aux survivants

Le monde brise les individus et, chez beaucoup de gens, l'endroit brisé devient plus fort ; mais ceux qui ne se brisent pas, le monde les tue.

ERNEST HEMINGWAY, *L'adieu aux armes*

Il y a deux routes qui mènent à la vie. L'une est la route ordinaire, directe et honnête. L'autre est dangereuse, elle prend le chemin de la mort, et c'est la route géniale.

THOMAS MANN, *La montagne magique*

Cette histoire est inspirée de faits réels, survenus dans l'Yonne durant les années 1980 et dont les victimes sont connues sous le nom des « torturées d'Appoigny ».

Crash

La Bollène-Vésubie, dimanche 22 janvier 2017.

Sarah regarde droit devant. Elle appuie sur l'accélérateur. Elle atteint cent dix, cent vingt kilomètres-heure. Autour d'elle, la route n'est plus qu'un paysage abstrait, quasi mathématique. La vitesse la transperce de part en part. Elle naît du contact de son pied et de l'accélérateur, remonte le long de ses jambes, les irrigue, inonde son bassin, remonte dans sa poitrine et jusqu'au sommet du crâne où elle explose en gerbes comme si sa tête abritait les trois cent quatre-vingts chevaux du moteur. Son cerveau actionne la créature métallique qu'elle est devenue. Quand elle accélère, ce n'est pas la voiture, mais tout son organisme qui répond. Toujours fidèle, au garde-à-vous.

Sur l'asphalte, les pneus ATS libèrent des gerbes d'étincelles. Ce feu brûle au-dehors mais aussi à l'intérieur d'elle. Il la dévore, la consume entièrement. Elle ressent dans ses mollets, dans ses cuisses, la moindre imperfection du sol. Les creux, les bosses, même infimes, de ce rallye Monte-Carlo dont elle dispute la dernière étape. Une épreuve reine des rallyes sur asphalte où il faut prévoir l'imprévisible, la neige et le vent.

La quatre-vingt-cinquième édition propose un parcours renouvelé à plus de quatre-vingt-cinq pour cent par rapport à celui de 2016. Dix-sept spéciales, réparties sur quatre journées de course. Trois cent quatre-vingt-deux kilomètres, soit sept kilomètres de plus que l'an dernier.

Après deux jours et demi de reconnaissance, le rallye a commencé jeudi à Monte-Carlo, place du Casino, par une première étape nocturne. Deux chronos dans les Alpes-de-Haute-Provence. Le deuxième jour s'est disputé dans les Hautes-Alpes et l'Isère. Cent soixante kilomètres chronométrés, la plus longue journée du rallye. Trois épreuves spéciales, à réitérer. Samedi, une nouvelle boucle à parcourir deux fois avant un dernier passage au parc d'assistance de Gap et un retour dans la principauté de Monaco en début de soirée.

Aujourd'hui, dimanche, c'est le dernier jour de course. Elle a fait trois chronos sur les quatre, dans l'arrière-pays des Alpes-Maritimes, sur les routes mythiques de l'arrière-pays niçois entre Lucéram et le col Saint-Roch.

Le soleil de janvier est d'autant plus éblouissant qu'il fait un froid glacial. Aucune humidité ne baigne le paysage de ses moiteurs brumeuses. Le temps sec dessine la route avec précision.

Dans l'habitacle, il fait une chaleur à crever. Son coéquipier lui égrène les notes qu'elle a prises lors des trajets de reconnaissance. Mais Sarah ne l'écoute pas, elle ne voit que les lacets qui se font et défont à travers le pare-brise. Le pied sur l'accélérateur, connecté à chacun de ses nerfs tendus comme autant de fils électriques.

Sarah a toujours aimé la vitesse, les éclats des réverbères sur la carrosserie, la sensation du moteur sous ses pieds. Gamine, elle rêvait déjà de faire le grand huit comme son frère. Jeune adolescente, elle participait aux courses que Nathan organisait avec ses copains sur les chemins de campagne. Elle se saoulait du bruit des moteurs. Ils roulaient sur n'importe quoi : vélos, mobylettes trafiquées, motos, puis voitures dès qu'ils ont eu le permis. À dix-huit ans et trois mois, l'un comme l'autre. Elle s'est laissé convaincre de participer à sa première course comme copilote de son frère.

Elle accélère. Son adversaire : le temps, mesuré par des cellules photoélectriques au départ et à l'arrivée. Elle doit faire le meilleur chrono sur la spéciale, une route fermée à la circulation.

Rien n'existe que le volant qui prend feu sous ses doigts, le sol embrasé. Elle n'est plus à l'instant, elle est cent mètres plus loin, deux cents mètres, au prochain virage, à la prochaine ligne droite.

Jamais elle n'a conduit de voiture plus puissante sur ce rallye. Moteur d'un litre six. La bride des turbos est passée cette année à trente-six millimètres. Aileron plus agressif, vingt-cinq kilos de moins. Du jamais-vu. La voiture a l'air de voler.

C'est le dernier jour. Elle dispute la Power Stage, une épreuve télévisée en direct, qui rapporte des points bonus. La Bollène-Vésubie – Peïra Cava sur vingt et un kilomètres trente-six. Au bout du chemin, il y a la première marche du podium pour le titre WRC, *World Rally Championship*. Le championnat du monde des rallyes. Elle va battre Ralph Dichters, son rival depuis la première course. Le championnat du monde des rallyes à Monte-Carlo, il y a quinze ans. Il l'avait battue à plates coutures. À peine sorti de sa bagnole, il s'était allumé une clope avec un Zippo doré qu'il avait fait claquer avec ostentation. Il lui en avait offert une :

— *Do you smoke?*

Elle avait dit oui, ce qui était un mensonge. Mais elle était la seule femme de la compétition – à croire même qu'elle était la première femme qu'ils voyaient de leur vie, vu la bave qu'ils avaient aux lèvres en la regardant. Ils l'ont surnommée *Black Diamond*, le diamant noir. À l'époque, elle avait vingt ans à peine, des cheveux bruns en bataille, des yeux noisette. Aujourd'hui, trente-cinq ans au compteur, elle n'a rien perdu de son chien : frange très foncée qu'on devine sous le casque, combinaison moulante, au logo du constructeur, gants de cuir. Pas de maquillage, jamais pendant les courses.

À l'époque, donc, il n'était pas question qu'elle dise non, pas question de flancher, devant le triple champion WRC. Elle avait allumé la clope, aspirant la fumée bien au fond de ses poumons sans crapoter ni tousser. Il s'était marré. Il avait cette insolence des hommes très beaux et qui le savent.

Depuis cette première fois, en 2002, elle en a remporté, des victoires. Elle peut s'enorgueillir de son palmarès. Elle a même remporté les Vingt-Quatre Heures du Mans en 2007, alors que le compte-tours venait de lâcher. Elle s'est guidée à l'oreille. Après Le Mans, elle a décidé de quitter le circuit. Plus envie de tourner en rond comme un hamster dans sa cage. C'est là que Nathan et elle ont arrêté de concourir ensemble. Il est parti en F1, elle a remporté en 2008 le titre de championne de France féminine des rallyes. Vainqueur au Brésil, en Grèce, au Portugal, en Italie.

Aujourd'hui, elle est sur le point de prendre sa revanche. De battre Ralph Dichters, de rattraper l'humiliation de son rire et de cette clope dégueulasse, quinze années en arrière. Si elle gagne la course, elle se rapproche du sacre. Elle dispose de cinquante-huit points d'avance. Elle se sent invulnérable. Elle a l'impression de faire corps avec le véhicule, corps avec l'acier, l'essence et l'asphalte.

Elle va gagner. Elle va faire disparaître ce petit sourire suffisant qu'il lui a adressé à l'époque. Après, elle n'aura plus qu'à accomplir son rêve : gagner la Pikes Peak, la « course dans les nuages » du Colorado.

Plus vite. Cent soixante-dix, cent quatre-vingts.

Elle connaît son challenger par cœur. Sur le bout des doigts, au sens propre. Elle se rappelle une nuit où, ivres de vitesse et d'alcool, ils ont passé les dernières heures de l'aube dans sa chambre d'hôtel. Rien de tendre ni de lent, mais un enchaînement de figures rythmé et efficace.

Pendant un rallye, il ne faut jamais regarder en arrière, ni sur les côtés. Toujours devant soi, toujours vers l'avenir, au ras du bitume. Elle ne doit pas penser à lui, surtout pas. Ne pas se dire qu'il a reçu le top départ deux minutes après elle et qu'il vient de s'élancer à son tour pour la battre au chrono. Les autres, leurs adversaires, ne comptent pas. Il n'y a qu'eux. Ils sont au coude-à-coude dans les performances des derniers jours. Il peut encore rattraper son retard.

Elle se demande ce que vaut sa bagnole. Il dispute la course dans une Citroën WRC version 2017 couleur bleu pétard. Elle croit voir son petit sourire narquois à travers le pare-brise. C'est une illusion bien sûr mais qu'importe.

Elle doit gagner. Elle accélère. La vitesse la grise. La voiture glisse. Elle est à deux cents kilomètres-heure, maintenant. Son copilote lui dit quelque chose, il veut l'alerter sur une note qu'elle a prise lors des repérages. Un virage dangereux. Elle se tourne légèrement pour lui répondre. Revient vers la route. Trop tard. Sur sa droite, un talus d'herbe et de terre. Les poteaux électriques forment des bornes irréelles. Un passage d'ombre, puis le soleil à nouveau, éblouissant. Son halo irisé brouille son champ de vision. Les couleurs se décomposent, formant un bouquet arc-en-ciel sur la vitre. Sur sa gauche, la roche affleure, couverte d'herbes, de mousses. Des sapins s'élancent en hauteur comme un mur éternellement vert.

Le virage. Un lacet en épingle à cheveux. Par une sorte de réflexe absurde, elle regarde son visage dans le rétroviseur. Elle se dit qu'au fond, elle n'est que cela. La parcelle de chair aperçue dans le fragment de miroir va disparaître mais, impassible et lointain, continuera à subsister le monde bruyant et frénétique de la course automobile. Follement, alors qu'elle fonce à toute vitesse hors de la route, elle essaie de freiner. Mais il est beaucoup trop tard. Plus bas, des résineux, baignés de soleil, étalent leur tapis vert tendre. C'est un endroit splendide pour mourir.

La dernière image qu'elle emporte de cette vie-là, c'est celle d'un grand brasier qui dévore le ciel tandis qu'autour d'elle des gens s'agitent pour éloigner de l'explosion son corps brisé.

ACTE I : LE PARADIS

> Au milieu de la course de notre vie, je perdis le véritable chemin, et je m'égarai dans une forêt obscure.
>
> DANTE ALIGHIERI, *L'Enfer*, chant I, traduction en prose d'Arnaud de Montor, 1859.

Là-bas

Chanteval, avril 2017.

L'ambulance emprunte une route de campagne, qui serpente entre les champs de blé. Seul son frère peut les apercevoir car, désormais en position horizontale, Sarah n'aperçoit plus du monde qu'un rectangle de ciel. Elle y suit, comme sur une télévision, les infimes variations lumineuses, les nuages ou les oiseaux. Et elle, que jamais la vue d'un paysage n'a émerveillée, se surprend à traquer chaque détail, à vouloir s'y perdre, s'y dissoudre. Le temps est frais mais printanier. Le ciel bleu n'est ponctué que de nuages hauts.

À mesure qu'ils s'effilochent sous ses yeux, elle perd ses repères. La distance entre Paris et le centre lui semble si vaste qu'un décompte chiffré en kilomètres n'aurait plus de sens. Elle s'éloigne. Elle s'arrache à son appartement, à sa ville, à la vie qu'elle a connue jusque-là. Au début, elle demande à son frère où ils se trouvent. Nemours, Courtenay, Auxerre, Châteauneuf, Chalon-sur-Saône, Chambéry. Puis, elle cesse de s'intéresser aux différents noms que son frère égrène et qui ne signifient plus rien que l'éloignement, l'étrangeté. Lignes, Nivoire, Saint-Lorieux, Dilaure. Un arrachement à tout ce qu'a été sa vie.

Son frère Nathan est assis près d'elle. Il essaie de lui parler. De sa voix rassurante, familière, il lui demande si elle a le trac. Il lui répète qu'elle a eu beaucoup de chance. C'est normal qu'elle ne s'en rende pas compte, mais elle aurait pu y rester, comme son copilote. Il est mort sur le coup, il n'a pas souffert. Nathan l'exhorte à ne pas culpabiliser, les coureurs automobiles savent ce qu'ils font, ils connaissent les risques, ils les acceptent. Ç'aurait pu être l'inverse : elle dans la boîte en bois, six pieds sous terre, et lui, fixé au sol, paralysé. Son corps est en miettes mais un corps en miettes est préférable à la mort. Non ?

Sarah ne répond pas. Elle n'en est pas sûre du tout. Elle se perd dans la contemplation du ciel qui les oppresse de son couvercle bleu.

Nathan dit encore :

— Faut que tu remontes la pente, Sarah. Te laisse pas bouffer par la déprime.

Il n'emploie jamais le mot « dépression », qui serait plus approprié à son état d'âme. Mais il n'apprécie guère l'étalage de sentiments. Aussi poursuit-il dans cette veine : elle doit se battre, ne pas se laisser aller, des trucs comme ça. Elle ne le juge pas, elle aurait dit la même chose, il y a seulement deux mois.

Deux mois de coma, de soins intensifs, de tuyaux dans la bouche, dans l'urètre, dans les bras. Deux mois de piqûres, de toilettes intimes par des étrangers, de sondes, de perfusions bloquées, de moniteurs qui bipent parce que le médicament est terminé, parce qu'elle a une tension très forte, trop basse, un pouls très faible, trop élevé. Du bruit, tout le temps. Des rumeurs lointaines, des infirmières qui ouvrent grand la lumière en pleine nuit pour vérifier les machines, changer le liquide de la perf, vérifier qu'elle ne va pas crever.

À la suite d'une lésion de la moelle épinière, elle est paraplégique. Paralysée de la partie basse du tronc et des jambes. Elle peut bouger tout le reste, sa tête, son cou, ses bras, mais pas ses « membres inférieurs », comme ils disent.

Malgré ces termes apparemment objectifs, rien de stable, rien de définitif. Sa confiance en la médecine s'est évanouie. Elle la considérait jadis comme une science dure, s'appuyant sur des faits et des certitudes. Il n'en est rien. Les picotements qu'elle ressent dans les cuisses peuvent être le signe avant-coureur qu'elle va remarcher ou une simple illusion psychique.

— Avec la moelle, on a toujours des surprises, avait dit l'un des médecins.

Attendre, l'unique mot d'ordre. Espérer.

Elle a dû apprendre les mots. Compression de la moelle épinière. Vertèbre D12 fracturée. Stabilisation de la fracture par ostéosynthèse. Lésion médullaire incomplète. Spasticité. Et, avec les mots, des perceptions inédites. Elle a pris conscience qu'on pouvait ressentir à la fois des douleurs intolérables dans certaines parties du corps et une anesthésie complète dans d'autres. On lui a recommandé de faire attention car son insensibilité à la douleur dans la zone inférieure la rendait vulnérable aux blessures. Aux brûlures, aux escarres.

La lumière artificielle. La peinture couleur saumon ou vert d'eau, selon les services qui l'ont accueillie. Les nouveaux visages du personnel soignant. Toujours différents. Impossible de les reconnaître, de s'accoutumer. Les visites réservées à la famille proche : Nathan, en l'occurrence, puisqu'elle n'est pas mariée et que sa mère est morte.

Son père n'a pas voulu venir.

— Tu le connais, a dit Nathan, gêné. Il dit qu'il n'y arrive pas, ça lui fait trop de peine.

Le temps s'est étiré, interminable. Parfois, elle s'est demandé si Arthur appellerait. En se présentant comme son concubin, il aurait peut-être eu l'autorisation de revêtir les surchaussures, jaunes ou bleues, la blouse, et le bonnet jetable. Mais il n'a pas appelé. Pas même un texto. Il y a des gens que la souffrance des autres fait fuir, il est de ceux-là. Par contre, elle a reçu un message de Ralph Dichters. Quelques lignes de prompt rétablissement, en anglais. Ça l'a touchée, il n'était pas obligé. De toute façon, elle n'a pas eu le temps de penser longtemps à Arthur, ni à Ralph. Une fois réveillée du coma, la douleur l'a submergée. Pas une douleur morale, non : la souffrance physique brutale, contre laquelle s'écrase toute forme de réflexion.

*

Cet ancien sanatorium reconverti en centre de Soins de Suite et de Réadaptation (SSR) se trouve près de la commune de Chanteval, cinq cent trente âmes, perdues au milieu des montagnes. Personne ne lui a indiqué combien de temps elle y séjournerait. Quelques mois, probablement.

Les différentes nuances de bleu rendent les cimes alentour presque irréelles. Même les feuilles, peut-être à cause des reflets du ciel ou par contamination des montagnes, prennent des teintes cobalt. Les rayons du soleil, là-haut, paraissent plus éblouissants qu'à Paris.

Sarah ferme les yeux, angoissée par ce monde bleu et silencieux, à peine piqué de noir par le vol des oiseaux. Elle a peur des changements qui vont s'opérer dans sa vie. Alors, elle fait ce qu'elle fait toujours dans ce cas. Mettre en route sa caméra imaginaire. Elle pratiquait ce jeu, enfant, braquant l'objectif sur elle : vivre comme si elle était filmée, chaque mouvement et chaque inflexion de sa voix enregistrés. Le défilé des jours, les difficultés du quotidien, la mort de leur mère, tout cela elle l'a transcendé grâce à cet objectif invisible. Il lui suffisait de s'inventer un autre œil pour que tout autour d'elle chatoie de mille feux secrets. Et pour exister, tout simplement. Car loin des regards, elle perdait toute consistance. Aujourd'hui, la caméra n'est plus dirigée sur elle, mais sur la route conduisant au centre. Car Sarah s'est annulée dans sa douleur. Elle s'y est ensevelie. Et pour rien au monde, elle ne veut songer à ce corps ouvert, vissé, cloué, boulonné, recousu, rafistolé de façon si fragile et provisoire qu'elle se sent près de tomber en morceaux.

L'accident lui a ouvert les yeux sur la réalité de l'organisme : un assemblage temporaire de pièces mécaniques. Elle l'a compris le jour où un chirurgien lui a expliqué quels organismes étrangers elle avait désormais sous la peau : vis, clous, boulons, tiges d'acier. Ils ont sorti la trousse à outils pour réparer sa vieille carlingue. L'illusion de solidité et de fermeture a volé en éclats. Maintenant, elle ne voit plus en elle qu'un amas de cellules qui n'arrêtent pas de naître et de crever. De l'épiderme toujours sur le point de se déchirer. Des liquides prêts à se répandre au-dehors. Des chairs à brûler, à percer, à défaire, à dévorer, à pourrir.

— Ça y est, on arrive.

À contrecœur, Sarah détache ses yeux de l'entrelacs des nuages et des cimes.

Le portail automatique s'ouvre. L'ambulance s'engage sur un chemin en gravier qui mène jusqu'à un petit parking en terre. Devant eux, à deux cents mètres, se dresse une vaste bâtisse sur un terrain de plusieurs hectares.

L'ambulance se gare. Deux aides-soignants en sortent. L'un d'eux déplie le fauteuil roulant. Ils soulèvent Sarah du sol et l'assoient. Elle revoit à nouveau le monde à l'endroit mais un cran plus bas. Au niveau de son visage, un panneau en bois. Le panneau a été réalisé au centre, sans doute par des jeunes. Il est mal coupé, des lettres multicolores se détachent sur le fond clair.

« L'Herbe bleue. »

À la casse

Son frère Nathan la pousse jusqu'au portail. Devant eux s'étend un parc rectangulaire à la pelouse bien tenue. Des petits sentiers goudronnés tracent des lignes droites dans le rectangle vert, entrecoupés à intervalles réguliers de bancs en bois à l'armature de fer.

Dressés sur ce monde géométrique, deux bâtiments de taille modeste, telles des maquettes identiques. Le premier, celui où dorment les malades, est haut de trois étages. Ses murs saumon et crème ont été repeints il y a peu. Ils offrent au soleil leur grande façade claire. Le toit en tuiles étincelle. Plus loin dans le parc, sur la gauche, un autre bâtiment – un cube blanc, qui abrite le « plateau technique et balnéothérapie ». À l'évocation de ces termes, Sarah s'imagine vaguement de vieilles dames fortunées, en train de barboter dans des bains à remous.

Autour d'eux, dans cet univers dépouillé composé de lignes droites et de couleurs primaires, le monde a changé. Il n'est plus habité d'humains verticaux à l'apparence interchangeable, mais d'individus nouveaux, si uniques en leur genre qu'ils semblent avoir été créés chacun en un seul exemplaire. Leur dieu à eux devait être un artiste. Contrairement à celui qui a façonné les hommes à son image, sur une vaste chaîne de montage où ils ont été assemblés en large quantité, ce dieu-ci a voulu se singulariser en sculptant chacun selon des formes et des proportions inédites. Originales. Absolument et totalement singulières.

Une casse – c'est la première pensée qui vient à Sarah. Une casse de vieilles bagnoles. Des corps en miettes, dissous, pliés, froissés, tordus. Des corps à la limite de n'être plus des corps, mais juste des pièces détachées.

Derrière un cyprès, vient d'apparaître une créature, homme ou femme impossible de dire, dont le visage a fondu. Deux trous au lieu d'un nez. La peau a coulé sur ses yeux, les recouvrant entièrement d'une cire rose et blême. Sa tête est enroulée dans un châle blanc, son cou est enseveli sous un linceul de bijoux. Saisie, Sarah enregistre à peine l'existence de la « chose » qu'elle a disparu – une image subliminale, un cauchemar éveillé et bref, déjà dissipé.

Aussitôt, deux membres de l'équipe viennent accueillir Sarah. Une grande femme aux longs cheveux tressés incline la tête.

— Moi, c'est Deborah Ndaye. Je suis infirmière.

Elle paraît immense, vue en contreplongée. Mais elle sourit à Sarah avec amabilité. Un homme lui tend la main. Elle relève les yeux pour ne pas les garder à la hauteur de son entrejambe. Un grand type au visage lisse. La trentaine, cheveux bruns, une barbe de trois jours et de grands yeux noirs aux longs cils.

— Alexandre Ladoux. Je suis aide-soignant.

Il fixe ses jambes avec une insistance étrange. Elle finit par lui tendre la main. Il la serre, cherchant peut-être à évaluer son tonus musculaire, ses chances de guérison.

Aussitôt, Sarah se sent oppressée. Une bouffée de chaleur remonte jusqu'à sa tête. Elle qui jamais n'a prêté attention aux signaux que lui envoie son corps se surprend à guetter la moindre réaction. Est-ce une poussée de fièvre ? Une douleur lancinante qui parviendrait par son acuité à se distinguer de la souffrance ordinaire ? Pour un être humain en état de marche, cette dernière question peut paraître étrange car la douleur est aisée à détecter. Mais quand le corps accidenté n'est plus qu'un assemblage de plaies, il devient plus ardu de démêler l'écheveau de ses sensations, de déterminer un emplacement précis au mal.

Durant ses trois mois à l'hôpital, le personnel soignant n'a cessé, quinze fois par jour, de lui poser la même question :

— Sur l'échelle de la douleur, vous vous mettez combien, de un à dix ?

Cette question apparemment rationnelle, comptable et simple, lui a causé de nombreux tourments. Lorsqu'elle se croyait à l'apogée du supplice, comment savoir s'il n'existait pas encore de peine supérieure à la sienne ?

À force de concentration, elle parvient à identifier la source de son malaise : elle a les poumons comprimés. Elle respire avec difficulté. L'altitude, sans doute. Le centre se trouve à mille quatre cents mètres au-dessus du niveau de la mer. Elle qui toujours a chéri l'eau, la plongée sous-marine, les profondeurs sombres et silencieuses, ressent un pincement à se savoir si loin de ce qu'elle aime. La montagne, ses parents l'y emmenaient parfois en vacances d'été. Ils marchaient, faisaient des randonnées de sept heures. Comme elle s'est ennuyée, dans les cimes... Aujourd'hui, plus que jamais, elle rechigne à vivre dans cet air raréfié et oppressant.

*

Nathan se balance d'un pied sur l'autre :

— Bon, je vais me rentrer, moi. J'ai une sacrée route à faire pour retourner à Paris.

— Tu restes pas dîner avec moi ?

— Bah non, j'ai entraînement, demain. Je voudrais pas faire tout le trajet de nuit. J'en ai quand même pour sept heures trente, en roulant vite.

Il pâlit brusquement, comme si l'évocation de l'excès de vitesse était une gaffe qui lui rappellerait l'accident alors que son esprit lui repasse le film sans discontinuer depuis qu'elle a ouvert les yeux en salle de réveil.

— Merci de m'avoir accompagnée, dit-elle pour le rassurer.

Son frère n'a qu'une envie : fuir. Elle le voit aux regards qu'il jette aux malades du parc. Aux regards qu'il évite de porter sur l'infirmière et l'aide-soignant, et sur Sarah, sa sœur, qui désormais lui arrive à la ceinture. La situation est d'autant plus insupportable qu'il doit se sentir responsable de l'accident. Sarah a fait ses premières courses à ses côtés, sur les routes désertes du Loiret. Il lui a prêté sa bagnole quand il a eu le permis et qu'encore mineure elle n'avait pas le droit de tenir un volant. Ils ont été copilotes durant des années. Et, en mars, il va disputer le Grand Prix automobile d'Australie en F1 pendant qu'elle va regarder la télévision clouée sur un fauteuil roulant.

Nathan l'embrasse, deux baisers rapides, sur la joue. Elle essaie de graver dans sa mémoire les traits de son visage. Ses yeux noisette, ses cheveux bruns, sa stature haute et mince. Elle lit la bonté dans ses yeux, un peu de lâcheté aussi devant l'immensité de son désarroi. Leur amour maladroit.

Il cherche des mots qui rendraient son départ moins solennel. Des paroles de réconfort. Il les trouve, ou croit les trouver :

— T'inquiète pas : papa va venir. Il faut juste lui laisser le temps.

Son frère n'a pas renoncé à la superstition de leur enfance. Il pense encore, après toutes ces années, que l'arrivée de leur père résoudra les problèmes dus à l'accident, rendra à Sarah ses jambes, réparera les dégâts causés par la tôle, le verre et le feu.

Quand ils étaient petits, l'un et l'autre avaient cette pensée magique : « T'as qu'à appeler papa, il saura. » Le mantra marchait pour tous les ennuis. Un grand qui embêtait l'un ou l'autre dans la cour. Un réfrigérateur vide. Une panne d'électricité. Un orage. Et, même plus tard, au début de leur vie d'adultes, ils continuaient à convoquer la divinité paternelle : un tuyau encrassé, une fuite d'eau, une recette de tartiflette, un bon bouquin à lire, le meilleur fromager de Paris… « T'as qu'à appeler papa, il saura. »

Aujourd'hui, la divinité s'est rompue avec la même facilité que le verre du pare-brise. Il n'est pas venu parce qu'il le sait aussi bien qu'elle : il ne peut rien devant sa souffrance. Son impuissance s'est révélée si brutalement, si clairement pour eux deux, qu'ils préfèrent s'éviter.

Rassuré par cette promesse, Nathan se détourne. En regardant son dos, Sarah a un pressentiment : le centre va se refermer sur elle et la dévorer. Elle veut crier, le retenir. Le supplier de ne pas la laisser toute seule. De la ramener à Paris. Tout de suite. Elle se sent comme une petite fille qui lâche la main de sa mère en partant pour la première fois à l'école.

Pour Nathan, il en va tout autrement. Il a veillé à son chevet quand elle était dans le coma. Il a eu peur qu'elle meure à de nombreuses reprises. Peut-être, en secret, lui est-il arrivé de penser que tout était foutu, de s'en accommoder. Pour éviter de trop souffrir, il s'est peut-être, de temps à autre, efforcé de faire son deuil. Alors à ses yeux, même si Sarah est en piteux état, sa renaissance tient du miracle. Il est soulagé qu'elle vive et épuisé par les émotions de ces deux derniers mois.

Elle ne dit rien. Elle serre les dents. Elle s'efforce d'oublier la route, le point de fuite. Elle s'efforce d'oublier combien ses jambes vibraient au contact de l'accélérateur. D'oublier à quel point la vitesse a toujours été le nirvana de son existence, le plaisir qu'elle a recherché sans relâche, au point d'y consacrer sa vie. D'oublier qu'elle a vibré à l'unisson de la voiture et de l'asphalte.

Corps, machine et paysage fondus en un seul être qui va.

La zone crépusculaire

En franchissant le seuil du centre SSR, Sarah sait qu'elle entre dans un monde nouveau. Une image lui vient à l'esprit, celle d'une émission télévisée dont son frère et elle étaient des inconditionnels durant leur enfance. « Au-delà des classiques notions d'espace, où l'homme projette ses pas, il est une dimension où peuvent se glisser, par les innombrables portes du temps, ses désirs les plus fous. Une zone où l'imagination vagabonde entre la science et la superstition, le réel et le fantastique, la crudité des faits et la matérialisation des fantasmes. Pénétrez avec nous dans cette zone entre chien et loup, par le biais… de *La Quatrième Dimension* ! » disait le présentateur. Là, dans cette quatrième dimension, le monde était régi par d'autres lois. Il fallait oublier tout ce qui, jusque-là, vous avait paru acquis. Immuable. Les murs pouvaient se transformer en lignes courbes, brisées, ondulantes ; les autoroutes ne plus mener nulle part ; le temps tourner à l'envers. Il y avait des villes où l'on se croyait le seul être vivant avant de découvrir que ces rues, ces maisons, ces jardins abandonnés n'étaient que des projections de notre cerveau ; des univers où, alors qu'on se suicide en rêve, on meurt dans la réalité.

Un jour, le présentateur avait aussi parlé de « zone crépusculaire ». Les termes lui étaient flous, alors. Mais ici, ils prennent tout leur sens. On dirait qu'ils ont été inventés pour désigner « L'Herbe bleue ». Une zone crépusculaire.

Alors que Deborah Ndaye, l'infirmière aimable, la fait rouler à l'intérieur de la bâtisse principale, Sarah a toujours cette impression terrifiante d'entrer dans un univers parallèle où il faudra renoncer aux certitudes et aux habitudes, à ce qu'on croyait être la réalité. Elle se sent inexplicablement soulagée qu'Alexandre Ladoux, l'aide-soignant aux yeux noirs, ait brusquement disparu de son champ de vision, après lui avoir murmuré un « à bientôt » à peine audible.

*

L'aile gauche du rez-de-chaussée accueille une grande salle de réfectoire lumineuse. Des fenêtres panoramiques ouvrent sur la montagne et sur le ciel. Au-delà des vitres, la végétation offre un contraste entre une lande couverte de genêts en fleur et une hêtraie dont le vert tendre lui rappelle son accident. Le défilé des nuages blancs sur fond bleu donne à Sarah l'étrange illusion qu'elle est l'unique point immobile d'un lieu en mouvement.

Sans cet extraordinaire panorama, la pièce serait quelconque. Propre et moderne, presque gaie. Le sol en linoléum bleu pâle resplendit de l'éclat du jour. Le faux plafond, découpé en carrés d'une trentaine de centimètres chacun, alterne les lampes halogènes et les conduits d'aération. Six ou sept tables rondes, de quatre places, en bois clair et aux pieds en métal noir, ont été disposées à intervalles réguliers, occupant tout l'espace. Autour de chaque table, quatre chaises jaunes ou vertes, avec une structure en fer, une assise et un dossier rembourrés, rappellent l'univers confortable et sans charme d'un intérieur Ikea. À l'entrée, sur le côté droit, une plaque indique en caractères bleus : « salle à manger ». Au-dessus de l'indication, une représentation stylisée d'une assiette et de deux couverts.

Jouxtant le réfectoire, s'étend la salle commune, vaste espace d'environ cinquante mètres carrés, organisée autour d'un baby-foot et d'une télévision. Il y a plusieurs chaises, les mêmes que celles du réfectoire, trois canapés bleus, des reproductions de tableaux sur les murs. Sur l'un d'entre eux, un Degas, quatre danseuses vêtues de bleu se découpent sur un fond d'arbres. Une des ballerines se tient sur les pointes. Leurs jupes en tulle se superposent, elles ont des grâces de libellules. Sarah s'interroge sur le choix de cette reproduction, en ce lieu peuplé d'êtres cloués au sol. Des baigneurs, peints par Cézanne, se fondent à la montagne. À moins qu'il ne s'agisse du ciel ou d'un lac, car cet espace à dominantes vertes et bleues, comme les quatre danseuses, tient de tout cela à la fois – paysage céleste, marin et rocheux, emmêlé aux corps nus en un seul désordre organique.

Les patients relèvent les yeux vers Sarah. Ils ressemblent à des personnages de Picasso. Pour l'instant, ils ne forment qu'une masse indistincte de peaux blanches, brunes ou noires, de jeunes et de vieillards. Un assemblage de formes inédites. Le centre accueille de tout, en petites quantités : accidentés, para- ou tétraplégiques, grands brûlés, patients traités pour addiction, soins palliatifs, greffés cardiaques. Des gens fracassés à réparer. Des assemblages humains approximatifs.

Seul un homme, à forme humaine, se détache des autres. Il s'avance vers elle. Il est petit, mince, cheveux courts, lunettes en métal. L'air sérieux à l'extrême. Étrangement, il lui fait penser à son copilote. Une douleur traverse son ventre, furtive et brutale, tandis qu'elle cherche en vain, dans ses traits, ce qui lui a rappelé Paolo.

Il tend la main à Sarah :

— Bienvenue. Je m'appelle Nader Attar. Chargé de la réinsertion socio-professionnelle. Nous nous verrons bientôt pour parler de vos projets. Car il faut anticiper.

Sarah ne répond pas. Nader Attar n'insiste pas et tourne les talons.

Le reste du rez-de-chaussée est composé de salles de soins que Deborah Ndaye ne lui fait pas visiter. Un dédale de couloirs, de portes closes. De toute façon, Sarah s'est absentée dans un recoin de son esprit où elle-même peine à se retrouver. Un lieu où elle voudrait être hors d'atteinte, loin de ses compagnons d'infortune et loin du souvenir de son copilote.

Deborah pousse son fauteuil jusqu'à l'ascenseur. Le centre comporte quarante-six lits, dont quinze chambres doubles. La sienne est au troisième étage. Au numéro 34. Elle ne fait pas plus de dix mètres carrés. À droite quand on entre, deux lits médicalisés sont alignés l'un près de l'autre, le premier côté salle de bains, l'autre côté fenêtre. Une table à roulettes permet aux patients de manger mais aussi au personnel d'entreposer tout un tas de médicaments. Deux fauteuils verts, de part et d'autre de la fenêtre. Deux tables de nuit beige, une pour chaque lit.

Deborah lui explique que l'été a été riche en coups et blessures. Le centre a fait le plein de patients. Heureusement, la malade qui occupait son lit vient de rentrer chez elle.

— Guérie ?

— Ça ne veut rien dire, « guérie », explique Deborah d'un ton pédagogique. Ça dépend du point de vue. Elle est arrivée en fauteuil et elle est repartie en fauteuil. Mais entre-temps, elle a appris à vivre avec. L'ergothérapeute l'a aidée à préparer son retour. Elle a travaillé avec son mari pour faire construire la rampe et mettre tous les objets à sa hauteur. Ils ont fait reconstruire la salle de bains pour que ça lui soit accessible seule. Elle est devenue entièrement autonome. Elle s'est même mise à jouer au volley. Alors, pour nous, elle n'est pas « guérie » mais ça constitue quand même une sacrée victoire, vous ne trouvez pas ?

— Si je marchais encore, votre histoire me donnerait envie de partir en courant.

Deborah lui sourit. Elle hoche la tête avec la patience d'une mère parlant à un enfant turbulent :

— Si ça se trouve, votre désir de fuir va vous donner des ailes. Vous verrez, d'ici un an, vous repartirez peut-être sur vos deux jambes.

Un an. Une éternité. Si elle acquiert la certitude de rester clouée à son fauteuil, elle se tuera. Elle l'a décidé de façon nette et irrévocable. Elle ne passera pas une vie à surprendre les regards de commisération, pas plus que l'indifférence. Se faire remarquer en montant dans un bus, en visitant un musée, en allant au cinéma ou en achetant son pain. Elle est encore incapable de s'imaginer autonome. Les muscles de ses bras sont encore trop faibles pour qu'elle actionne elle-même son fauteuil plus de quelques minutes. Reste à décider le mode opératoire. Mort-aux-rats, pendaison, médicaments, chute dans le vide, chlorure de potassium. Elle sait qu'il existe des sites Internet qui recensent les méthodes les plus efficaces et les moins douloureuses. Elle se souvient de la grand-mère d'une amie qui a obtenu, après plusieurs lettres de motivation, le droit d'être euthanasiée en Belgique. Elle leur fera une lettre pleine de chiffres et d'arguments rationnels ; ils ne pourront pas refuser. Et s'ils refusent, il restera la corde.

L'infirmière, Deborah Ndaye, aide Sarah à s'allonger et la laisse « s'installer » – dit-elle, comme si les termes avaient un sens dans le cas de Sarah.

Sa compagne de chambre est en consultation. Elle reviendra dans la matinée. Sa solitude provisoire lui laisse un peu de répit pour s'acclimater à l'endroit.

Allongée dans le lit médicalisé, Sarah observe ses jambes inertes. Ses jambes mortes, qui pourtant ont commencé à la faire souffrir. Depuis quelques jours, elle est réveillée la nuit par d'atroces crampes contre lesquelles elle ne peut pas lutter car cela supposerait justement de se mouvoir, poser ses pieds au sol, tendre et détendre les muscles. Elle s'efforce de se rappeler qu'un jour, il n'y a pas si longtemps, elles ont été fuselées, douces et musclées. Mais le souvenir reste plaqué, on dirait qu'elle l'invente.

*

La chambre est dépouillée à l'extrême. Autour d'elle, des murs blancs. Pas ce blanc crème que Sarah a choisi pour son appartement sous les toits avec poutres apparentes. Un blanc laqué, éblouissant. Elle essaie d'en fixer les aspérités pour se raccrocher à une image, un motif. Pour que ses yeux ne glissent pas sur cette étendue immaculée. Cette blancheur infinie.

La fenêtre est rectangulaire, bordée de fer. Sarah veut, durant un instant, se lever et aller ouvrir pour voir le paysage sans les impuretés de la vitre. Son cerveau lance à son corps l'ordre de se déplacer. Mais rien ne vient, bien sûr. Son cerveau réajuste, il lui rappelle, un instant trop tard, qu'elle ne peut plus marcher. Elle pense à ce poème de Baudelaire qu'elle avait dû apprendre en CM1 : « L'Albatros ».

Ses ailes de géant l'empêchent de marcher.

Mais elle n'a pas d'ailes, elle ne s'élancera plus jamais sur les routes, ni vers les nuages. Elle restera clouée au sol. Pétrifiée. Momifiée.

Le mur. La fenêtre. Le sol qu'elle ne peut pas voir, dans sa position, mais qu'elle sait en linoléum vert.

Elle vient d'entrer dans un monde dépouillé de tout ce qui auparavant faisait sa vie. Un monde nu où plus rien n'est à vendre, ni à consommer.

Un monde réduit à son strict minimum : survivre.

Le docteur Lune

Une heure plus tard, Alexandre Ladoux, l'aide-soignant aux yeux noirs, vient chercher Sarah dans sa chambre. Encore une fois, il scrute les blessures, les bleus, tous les stigmates qui la défigurent. Elle s'aperçoit qu'il trace mentalement une cartographie de ses entailles et de ses écorchures.

Il la conduit chez le docteur Virgile Debonneuil. Le chef du service des blessés médullaires a son bureau en sous-sol, où se trouvent aussi le secrétariat, le service de gestion et la psychologue. S'il existe au-dessus de lui des instances bureaucratiques, elles restent invisibles. Aussi est-il, sinon dans les faits du moins dans l'esprit de tous, personnel et patients, l'âme du centre, son suzerain.

L'ascenseur s'ouvre au niveau – 1. Il y a d'abord un espace nu, comme une salle d'attente. Le passage au-delà de cette zone s'effectue grâce à un badge électronique, détenu par le personnel agréé.

Alexandre Ladoux badge. Il actionne une porte blindée, au chambranle métallique. Bruit d'ouverture automatique. Puis, clac feutré. L'aide-soignant n'est pas bavard. Sarah se laisse bercer par le silence, ponctué par le bruit de succion de ses chaussures en plastique sur le linoléum vert.

Autour d'eux, des murs de béton. À mesure qu'ils s'éloignent de l'entrée, les lieux changent. Les distances à parcourir semblent interminables. Peut-être cette impression est-elle due à la lumière des néons, à la couleur uniforme du linoléum vert lichen, des murs absinthe.

Le dédale de couloirs s'achève sur une nouvelle porte, immense et noire. Sarah remarque son aspect lugubre :

— On n'a pas rendez-vous là-dedans, j'espère ?

— Non.

— Il y a quoi, là-bas ?

L'aide-soignant reste un moment silencieux. Sarah finit même par se dire qu'il ne répondra pas :

— Les enfers.

Comme elle ne peut pas voir son visage, elle suppose qu'il plaisante. Elle sourit. Un réflexe de politesse stupide puisque Alexandre Ladoux non plus ne peut pas distinguer ses lèvres, juste ses cheveux. Elle se demande furtivement si elle a des pellicules. Elle se sent fragile et répugnante, entre ses mains.

— Non, en fait, poursuit l'aide-soignant après quelques secondes, je n'en sais rien. C'est une porte condamnée. Une porte qui ne mène nulle part. Et n'ouvre sur rien.

Alexandre Ladoux fait bifurquer le fauteuil de Sarah sur la gauche, devant un bureau fermé. Il frappe. Une voix chaleureuse lui répond :

— Entrez, mademoiselle Lemire.

Il se lève et lui tend la main au-dessus de son bureau.

— Docteur Debonneuil. Ravi de vous compter parmi nous. Dans notre famille, si je peux dire. N'est-ce pas, monsieur Ladoux, que nous sommes une sorte de famille ?

— Dysfonctionnelle alors, lance l'aide-soignant.

Le docteur Virgile Debonneuil éclate de rire. Il sort une fiche cartonnée. Dessus, il écrit le nom de Sarah avec application, d'une petite écriture soignée d'écolier.

— Voilà, voilà. On va remplir la fiche.

Pendant qu'elle répond à des questions sur son âge, sa taille, son poids ou son adresse, Sarah le détaille l'air de rien. Comme une créature mythologique, mi-homme mi-bête, ou mi-bête mi-dieu, composée de deux morceaux d'une nature différente. En bas, il se confond avec son bureau, son tronc scellé à sa chaise, ses doigts prolongés par ses dossiers médicaux. Étrange bloc de bois et de papier. Mais en haut, son visage pâle et lumineux, aux grands yeux bleus pensifs, paraît sur le point de s'élancer pour rejoindre la nuit. Elle apprendra plus tard que son aspect lui vaut au centre le surnom de « docteur Lune ».

— En arrivant ici, on pourrait croire qu'on entre dans une sorte de clinique avec vue. Mais ne vous y trompez pas ! L'Herbe bleue est beaucoup plus que cela. C'est un lieu où l'on entend soigner votre corps sans oublier votre mental !

Il sourit d'un air pénétré.

— C'est pourquoi, mademoiselle, je vous incite à profiter de toutes les activités que notre centre peut offrir. Pas seulement des soins physiques mais aussi tout ce qui met du baume au cœur. Comme les habitués le savent, chaque matin à dix heures, je propose un temps de méditation. Je vous incite à venir, les résultats sont étonnants. Je le dis et je le répète : le corps se rééduque par l'esprit, uniquement par l'esprit. Le midi et le soir, il y a le repas servi en commun dans la cuisine, pour ceux qui veulent. J'insiste sur les moments passés en commun. C'est un premier pas pour vous resocialiser, vous apprendre à interagir avec les autres, avec vos handicaps et vos forces, avec tout ce que votre accident vous a laissé, même si aujourd'hui vous croyez qu'il vous a tout pris.

Après ce préambule, il se plonge avec attention dans le dossier médical de Sarah, envoyé par ses confrères de Lariboisière. Il fronce les sourcils, visiblement contrarié. Puis, au bout de quelques instants, il prend sur lui et relève vers Sarah un visage combatif.

— Bon… bon, bon… On ne va pas se contenter de ça. On va se battre pour que vous puissiez remarcher un jour. D'accord ?

Il le dit avec douceur, sans acrimonie, contemplant au-delà de Sarah un futur radieux qu'il rêve pour chacun des arrivants.

— Ici, on va vous réapprendre à vivre malgré le handicap. Le but, ce sera de vous rendre autonome. Et, même si vous deviez rester en fauteuil, de vous permettre de vous réinsérer dans le milieu professionnel. Vous étiez pilote de rallye. C'est rare, pour une femme.

C'est exactement la phrase que Paolo lui a lancée, avant d'accepter d'être son équipier et de mourir par sa faute.

Avec l'aide d'Alexandre Ladoux, le docteur Debonneuil attrape Sarah sous les bras pour l'aider à se hisser sur sa table de consultation. C'est lent, laborieux, douloureux. Elle s'efforce de ne pas songer à l'humiliation constante que lui procure son nouveau corps. Son handicap accroît une paranoïa qui existait chez elle sous une forme mineure, presque anecdotique. Elle s'efforce de redresser sa vision pour la faire correspondre à la courbure du réel. Mais elle a beau se raisonner, elle est presque certaine que l'aide-soignant a maintenu sa main sur sa peau un instant de plus que nécessaire.

Tandis qu'il se penche vers ses bras, évaluant sans doute la force de ses triceps, de ses biceps, de ses pectoraux, elle peut l'examiner plus à loisir. À son arrivée au centre, elle n'a eu de lui qu'une impression fugace. Un grand type au visage intense.

Vu de près, Alexandre Ladoux est bien plus que cela. La trentaine, cheveux sombres, une barbe de trois jours et de grands yeux noirs aux longs cils, plantés dans les siens. Elle finit par détourner son regard, mal à l'aise et troublée.

— Il y a deux possibilités, poursuit le docteur Debonneuil. Soit on aide les patients à se réinsérer dans leur ancien milieu, quand c'est possible.

On leur fournit une assistance active, technique ou humaine. On peut aider à faire installer des rampes pour un fauteuil, à remettre les objets à portée de main pour quelqu'un qui reste assis… Soit, quand c'est impossible, on les guide dans leur réorientation professionnelle. On privilégie un travail plus sédentaire, l'informatique par exemple. Vous verrez tout ça avec le pôle d'insertion socio-professionnelle : il est dans cette aile, lui aussi. Évidemment, vous aurez des consultations avec le kiné, le psychomotricien, l'ergothérapeute. La psychologue, aussi. On va tout faire pour vous remettre d'aplomb.

Handicapée : avant, c'était pour les autres. Le corps, son corps, était un outil qu'on oublie, comme tous les outils qui fonctionnent. Elle-même, quand un objet, surtout électronique, ne marchait pas, avait pour habitude de lui donner un grand coup de pied dans l'espoir irrationnel que les pièces disséminées se remettent miraculeusement en place. La télé, la cafetière, l'ordinateur. Coup de pied, coup de poing. La panne survenue dans sa propre carcasse a fait passer la machine au-devant de la scène. Et elle voudrait se frapper pour que le mécanisme reparte.

— Je sais que c'est dur, qu'en ce moment vous ne vous voyez plus de futur. Mais le centre est là pour ça : vous aider à réinventer un avenir.

Sarah ne répond rien. Elle ne veut pas se réinventer. Quant à son avenir : retrouver son ancienne enveloppe ou mourir.

— Évidemment, dans votre cas, reprendre le même métier est exclu.

— Je ne sais rien faire d'autre.

— Vous apprendrez.

— Je ne *veux* rien faire d'autre.

Le docteur Lune reste un moment silencieux. Son visage s'obscurcit. Puis il retrouve son expression affable :

— Vous savez, mademoiselle Lemire, je suis un optimiste. Et des malades qui broyaient du noir, croyez-moi, j'en ai vu un certain nombre. Mais si vous voulez voir la moitié vide, laissez-moi vous montrer la moitié pleine du verre.

— Et vous voyez quoi dans cette moitié pleine ?

— Je vois une femme habituée à l'effort, à la compétition. Une femme habituée à se battre. Cette femme-là a peut-être un peu cédé le pas devant celle qui a mal et qui désespère. Mais je sais qu'elle est toujours là, quelque part, et qu'elle va revenir. Parfois, la volonté ne suffit pas, mais sans elle, rien ne peut se produire.

Sarah regarde ailleurs, loin, vers les cimes bleues. Elle ne peut s'empêcher de penser que son séjour est transitoire. Le cauchemar va prendre fin. Elle se réveillera avec son corps intact. Sans blessures.

— Quand vous sortirez du centre…

En quittant le bureau, poussée par Alexandre Ladoux, Sarah jette un regard sur sa gauche. L'immense porte noire, fermée sur quelque pièce obscure. Puis elle reprend la route en sens inverse, le long du dédale, pour retourner à la lumière du jour.

La voix douce du docteur Lune résonne dans le couloir :

— … vous serez quelqu'un d'autre.

La fille en jaune

Quand Sarah remonte du sous-sol et regarde par la fenêtre, elle s'aperçoit qu'il a plu. L'odeur du bâtiment lui tourne la tête. Les effluves de la pluie printanière imprègnent les vieilles pierres et se glissent dans chaque recoin. Au fond du couloir remonte l'odeur obscure des feuilles détrempées.

Sarah retourne dans sa chambre. Elle tend le bras et appuie sa main contre le mur, sursaute devant le contact moite, rugueux, du Placo, ses aspérités, telles des écorchures. Son esprit est occupé de visions brèves et pénibles.

Les images de l'accident. Le monde à travers les vitres, devenu uniformément gris à cause de la vitesse. Le feu. La lumière bleue intermittente que l'ambulance projetait sur sa peau.

Elle passera le printemps, l'été, au centre, clouée dans son fauteuil. Cet ersatz grimaçant de sa voiture. Avant, elle se confondait avec l'acier et le vent ; aujourd'hui, elle est acier et immobilité. Seule dans la chambre 34, à ruminer des idées noires, à ployer sous les souffrances.

Jusqu'à l'arrivée de Clémence Audiberti.

*

Sa compagne de chambre chuchote un « Salut » inaudible à l'intention de Sarah. Elle n'a pas plus de trente-cinq ans et marche sur ses deux jambes. Elle est blonde, les yeux verts et un teint très pâle. Une expression absente sur le visage. Dans son for intérieur, Sarah se dit qu'ils l'ont collée avec une débile. Elle soupèse les avantages et les inconvénients de la situation. Côté plein du verre, sa compagne de chambre ne la harcèlera pas de questions, elles vivront une vie séparée, hermétique l'une à l'autre. Côté vide, il aurait été plaisant d'avoir un peu de conversation pour faire passer le temps. Tout bien considéré, Sarah perçoit la déficience de Clémence Audiberti comme une aubaine.

— Salut, dit Sarah avec un sourire qu'elle voudrait engageant mais pas trop.

Aussitôt, Clémence sourit et va s'asseoir sur son lit.

— Je suis Clémence.

Puis, elle reste là, sans rien dire. Sans bouger. L'instant dure, il s'éternise. Puis, il se passe quelque chose d'imprévisible. Clémence commence à pleurer. Les larmes coulent sur ses joues. Ses yeux verts deviennent liquides. On dirait qu'ils vont s'effacer sous ses pleurs. Pas des pleurs silencieux et discrets, non : un vrai marasme, des sanglots, des soubresauts, de la morve. Un authentique effondrement.

Sarah a grandi dans un milieu d'hommes. Elle se tuerait plutôt que de montrer la moindre faiblesse. Elle a appris à aimer les guerriers, les chasseurs. Les vainqueurs. À ses yeux, la deuxième marche du podium ne vaut rien. Seule importe la plus haute. Sarah est une guerrière, alors que cette fille n'évoque que douceur et fragilité.

Sans que Sarah ait esquissé le moindre geste de compassion, Clémence se blottit dans ses bras. Et plus que ça, elle se serre contre elle, se dissout contre son épaule. Elle pose sa tête sur ses jambes.

Sarah tapote ses cheveux blonds. Elle est mal à l'aise. Elle voudrait que Clémence se relève, maintenant. Elle déteste les gens qui se laissent aller. Elle n'a jamais été douée pour les épanchements.

Clémence raconte à Sarah qu'elle a un petit garçon, Mathieu, qui porte ce prénom à cause des Évangiles. Clémence aurait voulu l'appeler Jésus mais on lui a dit non, on lui a dit que ça ne se faisait pas. On s'est moqué. On s'est toujours moqué de Clémence, du plus loin qu'elle se souvienne. On disait qu'elle n'avait pas inventé l'eau chaude. C'était l'expression : « Elle n'a pas inventé l'eau chaude. » Son père la présentait par ces mots, en riant. Clémence aimait quand il riait. Après, explique-t-elle à Sarah, un psychologue a quantifié ce qui n'était resté qu'une expression vague. Quatre-vingt-six. C'était le chiffre. Il semblait la définir. Son père avait haussé les épaules et dit à la psychologue :

— Et si elle avait eu deux cents de plus, à quoi ça lui aurait servi ?

Il avait encore ri.

Mais quand il se fâchait, il prenait appui sur les paroles de la psychologue pour lui reprocher ceci ou cela. Il la traitait de débile, d'idiote.

Toujours plus de bleu. De bleus. Toutes les nuances, des plus pâles aux plus sombres.

Clémence raconte à Sarah que Mathieu n'a que cinq ans mais qu'il est déjà très courageux. Clémence a été malade une première fois. Premier cancer. Puis elle a récidivé trois ans plus tard. La chimio l'a anéantie et on l'a envoyée ici.

Le petit vit avec sa grand-mère Jocelyne, la mère de Clémence. Et il lui manque.

Voyant que les larmes coulent à nouveau sur les joues de Clémence, Sarah essaie de faire diversion. Elle désigne un carnet posé près de Clémence.

— C'est quoi ?

Clémence l'ouvre et le lui montre. Un carnet de croquis.

— Tu sais dessiner ? demande Sarah un peu stupidement, pour passer à autre chose.

Sans répondre, Clémence prend le carnet et commence à crayonner. Au bout de quelques instants, elle arrache la page et la tend à Sarah, qui l'observe avec attention.

Un visage de femme avec des zones sombres appuyées. Malgré son air fatigué, il émane de ce portrait une impression de force et de volonté sans bornes. Pourtant, il y a le fauteuil.

— C'est moi ?

Clémence hoche la tête.

— Oui, tu ressembles exactement à ça.

En y regardant de plus près, Sarah s'aperçoit que Clémence l'a représentée encastrée dans son fauteuil roulant. Comme une sorte de centaure.

Tuyauterie

Il est sept heures du matin. Deborah Ndaye prend son pouls. Sa température. Tâte son ventre.

— C'est normal, dit Deborah Ndaye. C'est normal de ne pas y arriver au début.

Sarah s'agace de ce rappel au réel. Mais elle ne dit rien, elle ne veut pas se mettre à dos le personnel soignant. Elle a déjà expérimenté la dépendance absolue, comme les nouveau-nés envers leur mère.

Sarah ferme les yeux, s'efforce d'oublier l'infirmière et Clémence. Sa voisine de lit passe devant elles pour aller se doucher. Elle est entièrement nue. Sarah n'a jamais été attirée par les filles, mais elle remarque le corps de Clémence. Fin et rond, splendide. Sauf qu'au lieu de son sein gauche, il y a une suture de vingt-cinq points. La cicatrice évoque la fermeture Éclair d'un porte-monnaie vide.

Elle revient à son propre corps. Ses entrailles nouées. Un frisson, un souffle, n'importe quoi, pourvu que la machine commence à ressusciter.

Dans sa vie de coureuse automobile, elle était un pur prolongement de sa voiture, un instrument souple, mobile, triomphant. Il se glissait dans la caisse, devenait le fil reliant les pédales, le moteur et son cerveau. Il était au service de la course, de la bagnole.

Du plus loin qu'elle se souvienne, la chair livrée à l'immobilité l'a toujours écœurée. Non seulement la tuyauterie digestive, mais aussi tout le reste. Quand elle a eu ses premières règles, sa mère était déjà morte. Ni son frère ni son père ne se sont portés candidats pour lui expliquer d'où et pourquoi coulait ce sang hors d'elle. Quand la puberté est venue, elle ne s'est pas inquiétée, elle a juste ressenti un vif dégoût. La sexualité lui a également inspiré une répulsion vague, mêlée d'intérêt. Pas assez d'intérêt pour surmonter la répulsion, pas assez de répulsion pour s'en passer complètement.

À ses yeux, le corps vaut dans le dépassement de soi, dans la quête pour se fondre à la tôle, à la route, quand il est pur mouvement vers autre chose que soi. Comment, dès lors, accepter de le voir collé au sol, rendu à ses fonctions primaires – bouffer, déféquer, dormir ?

— Il y a aussi une part de stress, poursuit Deborah. Le choc de l'incarcération.

Elle rit de sa comparaison, une blague destinée à détendre l'atmosphère, avant de reprendre :

— La promiscuité, au début, c'est un peu pesant. Mais vous vous y ferez. Ils s'y font tous. Ne vous inquiétez pas. Aujourd'hui ou demain. Ou après-demain. De toute façon, vous verrez, ici on arrête de compter. Vous savez pourquoi ? Parce que le temps ne passe pas comme en bas. En bas, vous avez l'habitude, vous pouvez toujours estimer, même sans le montrer, dans quelle fourchette vous vous trouvez. Ici, c'est différent. Il y a les soins, qui ponctuent la journée. Les heures creuses. Alors chaque jour est fait de pleins et de déliés. Mais comme chaque jour est toujours le même jour, au fond on expérimente à quoi ressemble l'éternité.

« Alors Dieu doit drôlement se faire chier », pense Sarah. Mais elle garde sa réflexion pour elle. Elle se contente de répondre :

— En fait, je suis désolée mais ça m'aiderait si vous ne me parliez pas.

— Faites comme si j'étais pas là. On est tous pareils là-dessus : une vaste tuyauterie.

Chaque chambre possède sa salle de bains avec ses toilettes. Mais comme Sarah ne peut pas y accéder, elle est soumise au bassin que Deborah a glissé sous elle. Après une paraplégie, la question est essentielle : la partie anale fonctionne-t-elle encore ? Le patient peut-il contracter ses sphincters ? Pour Sarah, les heures qui ont suivi son réveil ont été ponctuées par cette question, posée inlassablement par chaque nouvel arrivant – infirmier, médecin, aide-soignant :

— Alors, des selles aujourd'hui ?

Plutôt Belle du Seigneur que Pantagruel, Sarah n'a jamais été très à l'aise sur le sujet. Elle s'est promis, si elle devait un jour partager son appartement avec un homme, de faire construire des toilettes blindées pour n'entendre ni n'être entendue de personne. Et voilà que l'accident a transformé cet aléa corporel honteux en conversation banale. « Alors, des selles aujourd'hui ? » On lui a expliqué que, si très rapidement elle ne pouvait plus contrôler ses boyaux, ce serait foutu pour toujours. Des couches. Des couches, à trente-cinq ans, et toujours quelques prétentions à rester sur le marché de la séduction. Plus qu'une conversation, le problème est devenu pour Sarah une véritable obsession.

Elle a commencé une rééducation vésico-sphinctérienne et intestinale. La première consistait à décider quand elle pissait mais, dans ce lieu nouveau pour elle qu'était l'hôpital, on nommait le processus autrement. On parlait de « rétablir le cycle continence-évacuation » et d'« obtenir la vidange complète de la vessie à chaque évacuation ». Pour l'autre, il s'agissait de « rétablir le réflexe d'exonération fécale ». Si le réflexe était aboli, il faudrait avoir recours à une « évacuation digitale ».

Vidange et eaux usées – elle s'est sentie devenir transparente aux yeux des toubibs. Sous sa peau, ils voyaient les conduits ; ils opéraient sur elle des travaux de plomberie.

Deux jours plus tard, miracle, la tuyauterie s'était remise à lui obéir. Un souci de moins, il en restait tant d'autres.

Mais l'entrée au centre a figé ses viscères à nouveau. La présence de Clémence l'inhibe. Elle renonce. Demande à Deborah qu'elle lui ôte le bassin. Étrangement, l'infirmière prend ombrage de cet échec, comme s'il signifiait une défiance de Sarah à son égard. Elle sort sans un mot.

Oppressée, le ventre noué, Sarah reste seule avec

l'amas de membres inertes, douloureux, inutiles, avec lesquels elle va devoir coexister.

Personne ne l'a prévenue que, en plus du reste, elle souffrirait de constipation ; personne ne l'a prévenue non plus qu'elle arrêterait d'avoir ses règles. Plus rien. D'un coup, son corps a refusé de saigner. Le tuyau s'est coupé net. Les ovules se sont recroquevillés sur eux-mêmes. La matrice s'est refermée. Son organisme s'est mis sur pause. Il s'est figé.

Sarah ne s'est jamais vraiment habituée à être déshabillée, frottée, torchée. La pire des pertes, à l'hôpital comme en soins de suite, c'est celle de l'intimité. N'être nulle part à l'abri des regards. Nulle part où l'on puisse baiser, pisser, respirer, vivre hors d'atteinte.

À travers la mince cloison, elle entend la voix de Clémence se mêler au filet d'eau de la douche :

Quand la neige a recouvert la plaine
Je prends mon cheval et mon traîneau
Et mon chant s'élève à perdre haleine
Non, jamais le monde fut si beau.

Bercé par son chant, Sarah s'échappe de la chambre, du bâtiment, et, pour la première fois depuis des années, elle oublie les courses, la vitesse, le monde d'en bas, et trouve du réconfort à la pensée des montagnes bleues, au loin.

Plus on est de fous

Plus tard, une fille fait irruption dans leur chambre sans frapper. Elle n'a guère plus de dix-sept ans. Coupe afro, de grands yeux très mobiles. Malgré son corps chétif, elle a dû être vraiment jolie avant que la maladie ne dévore ses joues – quel est son mal, impossible de le dire car, contrairement à Sarah, la jeune femme dispose de membres en état de marche. Seule sa maigreur et une certaine instabilité physique trahissent un léger dérèglement des fonctions psychomotrices.

— Salut.

La nouvelle venue observe Sarah sans pudeur, de la tête aux pieds. Elle la dissèque. Au bout de quelques instants, elle finit par se présenter. Elle s'appelle Louane. Elle met une main dans ses cheveux, les tire en l'air. Ça lui donne un air de lutin malicieux.

Elle lance à Clémence :

— Tu sais, je suis trop de mauvais poil, ce matin. Je casserais même les murs !

Clémence lui sourit d'un air vague comme si elle venait de raconter une anecdote agréable.

Puis, Louane vient se planter devant le lit médicalisé de Sarah et, sans y être invitée, s'y assoit :

— La fille qui occupait ton lit, ils t'ont dit ?

— Oui. Elle est partie.

— Ah non, pas celle-là, celle d'encore avant.

— Non. Quoi ?

Elle se relève. Se rassoit. Se relève pour prendre un chocolat dans une boîte laissée à Sarah par son frère.

— Paraît qu'elle s'est suicidée. Elle s'est enfilé tout un tas de médocs. Paraît que c'est à cause de sa maladie. Ça avait repris. Un cancer du pancréas. Un truc comme ça. Ils l'ont sortie discrétos, de nuit, pour pas créer une épidémie. Parce que si on se mettait à y penser vraiment, t'imagines le nombre de gens qui se balanceraient par la fenêtre ?

— Ceux qui peuvent marcher, en tout cas…

Louane rigole.

— Ouais, j'imagine que toi, tu devrais être vachement plus inventive.

Elle s'éloigne, revient vers Sarah. Elle est incapable de rester en place. Même la suivre des yeux constitue un effort.

— En tout cas, remarque Sarah, je sais pas ce que t'as, mais t'es pas paraplégique, toi !

Sa remarque amuse Louane.

— Non, j'ai une sorte de bidule orphelin. La maladie de Wilson. Un sale truc. Ça bousille mon foie et ça entraîne des lésions cérébrales avec des troubles psychiques. D'après les toubibs, ça peut aller jusqu'à la psychose. Je vais devenir cinglée, bouffée par la cirrhose.

Sans que Sarah ait pu ou su répondre, Louane la met en garde :

— Conseil d'ancienne : demande pas trop ce qu'ont les gens. Ça va te déprimer. Moi, personne me l'avait dit, alors ma première voisine, bah, je lui demande. Elle me dit comme ça : « Je suis en soins palliatifs. J'en ai pour trois semaines. Maximum. » Je peux t'assurer que ça a cassé l'ambiance !

Louane fixe Sarah de ses grands yeux noirs, marquant une pause pour bien lui faire comprendre. Puis elle hausse les épaules :

— Le pire, c'est qu'elle avait été optimiste. Elle est morte dix-huit jours plus tard. J'ai pleuré à casser la baraque !

Aussitôt, Louane regarde ailleurs. Son esprit lui interdit manifestement de se poser sur quoi que ce soit plus d'une poignée de secondes.

Près d'elles, Clémence fixe le plafond d'un air absent.

— Enfin, ce que j'en dis, je m'en fous, c'est pour toi.

D'un bond, la gamine est dehors. Sarah a beau savoir que c'est irrationnel, elle ressent une bouffée de colère et d'envie devant cette fille hyperactive, en état de surchauffe.

Puis, elle songe à tous ces malades qui se sont allongés dans son lit, à toutes ces peaux, à tous ces corps.

Sans prévenir, alors que Sarah la croyait partie bien loin, Clémence dit :

— Y en a d'autres qui disent qu'elle a disparu. Comme ça. Envolée.

— On n'est pas enfermés, répond Sarah. On part quand on veut. C'est logique que les gens entrent et sortent. Non ?

— Oui, mais là, il paraît qu'elle s'est évaporée. Dans la nuit. Sans rien dire à personne.

— Personne ne l'a cherchée ?

— Aucune idée. Je ne l'ai jamais vue. Je ne sais même pas si elle a existé.

— Je vois. Du solide, quoi.

Clémence sourit et se tourne vers Sarah.

— Les gens s'ennuient, ici. Ils aiment bien se raconter des histoires. Pour faire passer le temps.

*

Le passage de Louane dans sa chambre laisse à Sarah un arrière-goût amer. Dans son état d'abattement, elle n'a pas la force d'entendre d'autres désespoirs que les siens. Mais le souvenir de l'autre patiente, le fantôme de la chambre 34, se fixe. Elle y songe de façon vague, intermittente. Elle se concentre. S'efforce de visualiser une femme. Plusieurs visages. Celle qui est repartie et celle d'avant, imaginaire ou pas, qui est morte, disparue, ou n'a jamais existé. Une longue chaîne de patientes en souffrance.

Clémence est sortie, appelée par d'autres obligations ou d'autres envies que Sarah ne désire pas connaître. Sa liberté de mouvements lui est trop cruelle.

Pour se détendre, Sarah tourne la tête vers la fenêtre, d'où elle aperçoit la crête rocheuse. Elle imagine la plaine, en contrebas.

Dehors, le printemps revient. L'herbe grasse, les campanules, les digitales pourpres et les ancolies, ces fleurs poussant dans les montagnes alpines. Étrange que leurs noms lui reviennent si facilement aujourd'hui. Elle pensait les avoir oubliés ou, mieux, ne les avoir jamais sus. Pourtant, sa mère a passé de longues heures à lui en égrener les noms au cours de leurs randonnées. Quel âge pouvait-elle avoir, à l'époque – six ans, huit ans ? Alors qu'elle a toujours cru s'en moquer, elle a rangé ces noms quelque part, dans un recoin oublié de sa mémoire. Et aujourd'hui, ils sont là, à la fois disponibles et futiles. Son imagination les met en scène malgré elle, elle visualise une minuscule fleur des montages que des doigts courts et râpeux effeuillent en chantant d'une voix discordante : je t'aime, un peu, beaucoup, à la folie, pas du tout, à la folie, pas du tout…

Elle sursaute. Alexandre Ladoux vient d'entrer sans bruit. Il propose de la conduire dehors. Sarah accepte sa proposition avec reconnaissance.

Alors que l'aide-soignant pousse son fauteuil dans le parc, Sarah regarde les montagnes. La forêt qui entoure le centre est dense, compacte et noire. Plus loin, d'autres patients fument près du plateau technique et du centre de balnéothérapie. Là, à l'abri des regards, s'ouvre une zone qui ressemble à la liberté, où règnent les orties et les herbes folles,

les pissenlits et les pâquerettes. Si, autour du centre, s'étend le vaste parc bien tondu, à y regarder de plus près, il y a certaines exceptions à la raideur des lignes.

Au-delà de l'autre bâtiment, le vent balaie les herbes hautes, des papiers, des feuilles froissées de journaux, les cheveux des filles, la fumée de leur cigarette. Les malades qui tiennent sur leurs jambes s'y adossent au bâtiment, en regardant la forêt qui s'ouvre plus loin, derrière le grillage. Un angle mort.

Sarah observe, fascinée, la chorégraphie des patients. De loin, la maladresse de leurs gestes, les tremblements de leurs membres, est encore plus visible. Les mecs en fauteuil, en béquilles, sur leurs jambes, leurs prothèses, leur canne. Elle pense à l'énigme du sphinx.

« Quel être, pourvu d'une seule voix, a quatre jambes le matin, deux jambes le midi, et trois jambes le soir ? »

Œdipe répondit : « L'homme. Enfant, il marche sur quatre pattes ; adulte, sur ses deux jambes ; vieillard, il a trois jambes car il s'appuie sur un bâton. »

Alors, se demande Sarah, que sont-ils, eux, ces êtres immobiles qui ne marchent ni sur quatre, ni sur deux, ni même sur trois jambes ? Ne sont-ils plus des hommes ?

*

Louane tire nerveusement sur une cigarette roulée. Elle porte un jogging bleu ciel, trop grand pour elle, qu'elle remonte constamment au-dessus de sa taille. Elle se déplace d'un pied sur l'autre, fait tomber sa roulée, la ramasse, se redresse. Incapable de se poser un instant, comme si le sol la brûlait, elle paraît défier éclopés et tétraplégiques qui l'entourent. La fée Clochette. L'image s'impose à Sarah. Une libellule joyeuse, insaisissable, un feu follet.

Enfant, Sarah avait la manie de chercher sous les traits humains la nature magique des gens. Leur vérité mythologique. Mais cela fait bien longtemps qu'elle n'y a plus songé. Étrange que cette lubie réapparaisse soudain, au centre. Sarah reçoit ces légères modifications de son tempérament comme le signe inquiétant d'une régression infantile. Mais après tout, quoi de surprenant alors qu'elle a perdu toute autonomie, toute capacité de décision et de mouvement ?

Sarah continue à observer le petit groupe, à l'écart, lorsque Louane l'aperçoit. L'adolescente s'illumine, elle lui fait un geste et, sautillante, la rejoint pour la présenter aux autres.

— Voilà Sarah, la nouvelle.

Assis sur un banc, Samir Boutier est grand, massif, la trentaine. Il porte ses cheveux très courts, un bouc noir. Il a une bouche minuscule, un visage maigre à la peau grêlée.

Il salue Sarah :

— Tu sais ce qu'on dit : plus on est de fous…

Il sourit, révélant une rangée de dents cassées.

Son nez aussi a subi de nombreuses fractures. Samir explique à Sarah qu'il est boxeur professionnel. Il emploie le présent même s'il est évident, vu son état, qu'il ne pourra plus jamais remonter sur un ring après l'AVC qui l'a laissé paralysé du côté droit. Et la prothèse Triton, qui donne à sa silhouette des allures futuristes. Il est Athéna, née armée du flanc de son père. Stratège plutôt que brutal. Belliqueux et tempéré. Il suit une réinsertion professionnelle en informatique. En le regardant, Sarah ressent envers le jeune homme un élan d'affection. Il est comme elle. Comme elle, il a connu l'ivresse du corps en mouvement, du corps triomphant ; comme elle, il expérimente la maladresse et l'immobilité.

— Moi, la dernière fois, dit Louane, j'ai agrafé mon père. Ouais, ouais, avec une agrafeuse et tout. Mais je l'avais prévenu : si vous vous disputez encore avec maman, je te tape. Là, le vieux se met à gueuler. J'ai pris l'agrafeuse… Nan, pas celle pour les petits papiers, que t'es con ! Celle pour le bois et tout. Les gros machins de travaux. Tu les poses et clac, ça s'enfonce. Je te raconte pas comment ça a fait sur sa gueule !

Sarah se sent d'autant plus immobile que Louane ne tient pas en place. Elle paraît montée sur ressorts. Elle fait quelques pas, revient. Pendant ces moments, ils restent à l'abri des regards du personnel soignant. Avant les soins, les consultations, tous ces moments où leur chair et leur psyché sont analysées, calculées, pensées, décortiquées.

Dans leur petit groupe, il y a aussi Jordan Giraud, un autre accidenté de la route traité pour addiction. Bientôt trente ans. Il était boulanger, dans sa vie d'avant. Aujourd'hui encore, il nourrit les autres pensionnaires de ses pâtisseries. Il est le seul à avoir pris possession des lieux, à en avoir fait sa maison. Il a décoré sa chambre de posters – il est fou de tuning – quand tous les autres y vivent en transit, refusant d'y mettre des affiches, des effets personnels, refusant d'avoir l'air de *s'installer*. Il sera Hestia, déesse du foyer.

— C'est toi qui as pris la chambre 34 avec Clémence ?

— Elle était sympa, la fille qui était à ta place, remarque Samir d'une voix triste comme s'il parlait d'une morte.

— Tu sais, dit Louane, y a des patients qui étaient en chambre double et, quand on leur a proposé de prendre la 34, ils ont refusé. Tout le monde pense qu'elle porte la poisse. Sauf Clémence, bien sûr !

Elle rit mais sans méchanceté.

— Moi, dit Samir, je crois plutôt que c'est les gens qui portent malheur, pas les lieux. C'est pas la chambre qui l'a avalée, la patiente de la 34…

— Tu parles de laquelle, celle en fauteuil ?

— Non, celle d'avant.

— J'étais pas là, je l'ai jamais vue.

— C'était il y a plus d'un an. Comment elle s'appelait déjà ?

Samir sourit :

— Ah oui, je me souviens : elle s'appelait Isabelle. Isabelle, quelque chose. Ça lui allait bien. Elle était vraiment belle.

— Comme Clémence Audiberti.

Sarah la cherche des yeux mais elle a disparu.

Les machines

Luc Ferrier, le masseur-kinésithérapeute, vient chercher Sarah pour lui faire visiter le plateau technique et commencer la première séance. Elle écrase sa clope dans le cendrier prévu à cet effet, à hauteur de sa main.

Luc Ferrier a la quarantaine, un visage jovial et un léger embonpoint. Sous ses fines lunettes à verres ronds brillent de grands yeux d'un bleu très clair. Sa peau de blond a rougi au soleil implacable des hauteurs. Le haut de son crâne se déplume.

— On va beaucoup se fréquenter, vous verrez. Au bout de quelques séances, vous ne pourrez plus m'encadrer, vous savez pourquoi ?

— Non.

— Parce que je vais vous obliger à faire des efforts tout le temps. À utiliser vos bras, à tourner la tête, à faire marcher vos abdos. Des vraies séances de torture, quoi !

Il rit, dévoilant une rangée de dents minuscules et étincelantes.

— On est un petit centre, poursuit-il. Mais, vous

verrez, l'ambiance est chouette et les résultats impressionnants.

Sarah se demande ce que signifie une « ambiance chouette » quand on a tout perdu, jusqu'à l'usage de ses membres ou la faculté d'aller chier tout seul.

Luc Ferrier pousse son fauteuil. Sarah se détourne des coteaux, des roches bleues et des épicéas pour se concentrer sur le plateau technique avec balnéothérapie.

Devant la porte du bâtiment se tient un vieillard aux traits fins et aux grands yeux. Immobile. On dirait qu'il est mort. Luc Ferrier passe devant lui en le saluant : « Salut, Mamadou », mais le vieil homme ne répond rien. Sans paraître s'en soucier, le kiné emmène Sarah visiter les lieux, qui se découpent en trois sous-espaces : un espace de balnéothérapie, un gymnase et un autre espace composé de pièces fermées, plus petites, munies d'instruments de torture plus personnalisés selon les malades et leur handicap.

Luc Ferrier continue à parler mais son débit est si rapide que Sarah perd le fil. Elle écoute d'une oreille distraite, certains mots seulement affleurent jusqu'à sa conscience :

— … elle criait : « Dessinez-moi des fleurs dessus ! Plein de fleurs ! Je peux plus le voir en peinture, ce moignon ! Recouvrez-le de n'importe quoi. Cousez des bouts de tissu, peignez-le en orange, n'importe quoi… »

L'espace de balnéothérapie comporte des fenêtres sur toute la moitié supérieure des murs qui, couverts de carreaux blancs, réverbèrent l'éclat si spécial du centre perché sur les montagnes. Ses deux piscines, vues de loin, découpent de doux rectangles bleus. Là aussi règne un ordre géométrique et serein, en contraste total avec les corps approximatifs qui s'ébrouent dans l'eau. Ces piscines sont bordées de rampes métalliques. L'une d'elles possède même une rampe inclinée, permettant de s'immerger seul par la force des bras. À l'intérieur des bassins, Sarah aperçoit d'autres rampes qui, sous l'eau, traversent les deux piscines horizontalement. Sur les bords, en carreaux gris, des aides-soignants et des kinésithérapeutes vêtus de blanc. Toutes sortes de bouées sont également exposées, de formes et de couleurs variées. Elles donnent une dimension enfantine un peu incongrue à cet espace qui, pour le reste, évoque plutôt des supplices à venir.

Le gymnase offre le même contraste entre univers enfantin et martyre programmé. La pièce, haute de plafond, très vaste, est baignée de soleil. Les vitres aux bordures bleues s'ouvrent sur les cimes. Comme dans les salles de sport de son école primaire, il y a des échelles à barreaux en bois clair. Des ballons multicolores. Et, au centre, deux tapis de course munis de rampes blanches. Sur l'un des tapis, le parcours est parsemé d'obstacles : des plots jaunes, rouges et violets, troués verticalement, permettent de placer des barres à différentes hauteurs.

Une femme, s'appuyant désespérément sur ses bras, tente de lever la jambe pour ne pas heurter l'un des obstacles, placé à dix centimètres du sol. Au prix d'un effort considérable, à en juger par la crispation de son visage luisant de sueur, elle parvient à maintenir son pied au-dessus de la barre. Mais la tension a été trop forte, elle ne parvient pas à fournir l'effort suffisant pour franchir la ligne et atterrir de l'autre côté. Sa jambe s'affaisse sur la barre, elle y reste un instant en équilibre instable, pantin pathétique et douloureux, avant que la structure de plastique ne s'effondre et que le kiné qui se tient près d'elle ne lui vienne en aide. À côté, deux hommes d'âge mûr se tiennent sur des gros ballons munis de poignées, de ceux que, dans son enfance, on appelait « ballons sauteurs ». Les deux sexagénaires tentent de se maintenir immobiles sur leur destrier de plastique.

Au fond de la salle, Sarah distingue des appareils étranges. Les mots employés par Luc Ferrier, « cryothérapie », « fangothérapie », « électrothérapie », donnent à ces instruments une dimension mystérieuse, mais d'un mystère qu'on ne voudrait jamais percer.

— Bon, c'est l'heure de notre séance.

Luc Ferrier pose une main rassurante sur son épaule. Elle sursaute.

— Vous inquiétez pas, ajoute le kiné avec bonhomie. On va remettre la machine en route !

*

— Je vais examiner les articulations, d'abord. Après, on fera un peu d'entretien orthopédique.

Sarah se trouve dans une pièce fermée d'environ quinze mètres carrés, occupée en partie par une table de kiné à hauteur variable, couverte d'une épaisse mousse de couleur verte, au dossier réglable. Divers appareils de salle de gym, un vélo, un rameur et un escalier, permettent de muscler les bras et les jambes. Sur une table en formica est posé un ordinateur, relié à un tapis où sont dessinés deux pieds. Il y a aussi divers oreillers en mousse rigide, apparemment destinés à être placés sous les jambes.

Le masseur-kinésithérapeute s'approche de Sarah. Il la fait asseoir et examine son équilibre dans cette position. Il explique qu'il va progressivement lui réapprendre la verticalité, qu'on va commencer en douceur, sur un plan incliné, avant de passer en position debout. Il lui demande si, à l'hôpital, on lui a appris à surveiller les marques sur sa peau, les infections urinaires et son hygiène alimentaire. Elle rougit involontairement de ces demandes intimes. Comme s'il le sentait, il embraye sur des banalités :

— C'est agréable ici, vous ne trouvez pas ? Un petit centre perdu au milieu des volcans d'Auvergne. Vous avez une belle vue, de votre chambre ?

Pendant l'examen, tandis qu'il palpe chacun de ses membres, Luc Ferrier lui parle sans discontinuer.

— C'est important, la vue, pour tenir. Avoir le moral, y a pas plus important pour guérir.

— Les autres patients disent que ma chambre porte malheur.

Sarah a parlé d'une voix neutre, pour montrer qu'elle n'y attachait aucune importance. Mais elle est curieuse de voir quelle sera la réaction du kinésithérapeute. Il éclate de rire, puis devient grave. Ces modifications se déroulent en une fraction de seconde, comme un dessin animé en accéléré :

— Ici, c'est le gros problème. Les ragots. Les rumeurs. Il y en a tout le temps, pour n'importe quoi. Si vous saviez ce qu'on entend, quelquefois. Alexandre Ladoux pourrait vous en parler mieux que moi, il en a fait les frais.

— Qu'est-ce qu'on disait sur lui ?

— Je ne sais plus, des trucs délirants. Qu'il sortait de prison, ou des trucs comme ça... Isolés au milieu de nulle part, les gens s'ennuient. Ils ont besoin de parler. Ils projettent leurs propres peurs, leurs propres fantasmes.

— Quelqu'un m'a raconté qu'une patiente était morte et qu'on avait sorti son cadavre pendant la nuit, pour ne pas effrayer les autres. C'est n'importe quoi aussi ?

— Ah non, ça c'est vrai. Qu'un patient meure, ça peut arriver, comme n'importe où ailleurs. Mais vous imaginez la panique, ici ? Au centre, tout est plus exacerbé. La peur, la colère. Ça doit être l'air.

L'examen est terminé. Luc Ferrier sourit toujours à Sarah, il lui adresse une pression réconfortante sur l'épaule.

— Vous inquiétez pas. Tracez votre route et n'écoutez personne.

*

En sortant péniblement sur son fauteuil, accompagnée par le kiné jusqu'à la porte, Sarah croise le vieil homme immobile :

— C'est Mamadou Diarra mais, ici, les gens le surnomment le « Fou », lui glisse le kiné à l'oreille.

Le « Fou ». Luc Ferrier a prononcé ces mots sans animosité, presque avec déférence.

— Bonjour, Mamadou ; je voudrais vous présenter Sarah, une nouvelle arrivante !

Visage fin, grands yeux et peau très noire. Il serre la main de Sarah. Aussitôt, il se met à trembler :

— Ils sont lourds, hein ? dit-il.

— Quoi ?

— Les regrets. Les remords. Vous souffrez ?

Sarah ne répond pas. Elle n'est que souffrance mais, visiblement, le vieux a autre chose en tête.

Il poursuit :

— Prenez garde. Ils disent qu'ils vont nous soigner alors qu'ils nous engraissent pour nous dévorer. Les ogres frappent à la porte. Et quand on veut ouvrir, on se rend compte qu'ils sont entrés depuis longtemps. Ils sont là, et ils ont le visage impassible et les mains toutes rouges.

Sarah recule son fauteuil, impressionnée. Mais Luc Ferrier hausse les épaules.

— Maintenant vous comprenez pourquoi on l'appelle le « Fou ». Pourtant, il n'est pas fou, juste très âgé.

Cassandre, se dit Sarah en complétant son panel d'êtres imaginaires. Le prophète que personne n'écoute jamais.

Maintenant, Sarah en a assez. Elle a envie d'être

dehors, au-delà de la vitre et des murs, dans les bois là-bas. Le visage de son frère lui apparaît en songe. Il lui fait un petit signe pour qu'elle le suive. Alors elle file, elle grimpe avec lui sur une moto ou n'importe quelle bagnole. Ils foncent à toute allure. La destination n'a aucune importance. Seuls importent le grand air, la vitesse, la pluie et le vent.

Zone blanche

Luc Ferrier la reconduit jusqu'au parc et la salue :

— À demain.

Sarah s'allume une cigarette. Plus loin, sur le perron, Alexandre Ladoux regarde les patients assis dans l'herbe. Il cherche quelqu'un des yeux. Sarah ressent un frisson involontaire en constatant qu'il avance droit sur elle. Il ne sourit pas. Elle se rappelle ses muscles qu'elle a sentis contre sa peau.

— Vous avez du feu, s'il vous plaît ?

Elle lui tend son Zippo doré. Il le fait claquer d'un geste net. Il a un tatouage sur l'avant-bras, à l'intérieur, là où l'épiderme est fin et parcouru de veines bleu pâle. Elle n'en distingue qu'un fragment. Un « S » et une pointe de flèche.

Le vent se lève, Sarah entend les feuilles bruisser. Les branches craquent. Le souffle tiède transporte l'odeur des arbres, de l'herbe, de l'humidité. Ne pas penser à la chambre. Dix mètres carrés de tuyaux, d'immobilité et d'absence d'intimité. Elle, qui a rendez-vous avec la psychologue, appréhende le retour à l'intérieur. Elle cherche à sentir l'air, tente de se rappeler son appartement parisien. Un cinquante mètres carrés sous les toits, avec poutres apparentes et balcon.

Elle essaie d'envoyer un texto à son frère. « Viens me chercher. » Elle attend la réponse. Consulte l'écran de son portable. Le message est complété par un point d'exclamation rouge : il n'a pas été envoyé. Elle s'aperçoit alors qu'il n'y a aucune barre sur son portable. Elle interroge Alexandre Ladoux, qui fume toujours en silence auprès d'elle.

— Y a un endroit où ça capte ?

— Non. On est en zone blanche.

— Vous faites comment ?

Il sourit.

— On pose son téléphone dans un tiroir, on referme le tiroir et on oublie qu'il est là.

— Et pour les communications importantes ?

— On va voir le docteur Lune. C'est le maître des télécoms.

Abasourdie, Sarah regarde l'objet argenté à coque noire qui a été depuis des années un prolongement de sa main. Elle le considère un instant, petit oiseau mort au creux de sa paume. Le dernier lien avec le réel vient de se rompre. Sarah voudrait crier mais, à l'instar de son mobile, elle se sent déconnectée, lointaine – qui l'entendrait ?

Sarah imagine leur centre vu du ciel. Elle le sent se refermer sur elle, l'étouffer. Autour d'eux, de leurs cubes et de leurs lignes droites, il y a un désordre de terre, de vert et d'eau. Un lac qu'on aperçoit au loin, toujours nouveau, ses couleurs et ses formes si réelles et mouvantes. Elle quitte son fauteuil en rêve. Elle se lève. Tout prend l'ancienne forme. Elle sent ses muscles se tendre, ses membres obéir à sa volonté naturellement, sans qu'elle ait besoin d'y penser. Elle sort. Elle court au-dehors. L'air brûle son visage. Ses cheveux volent au rythme du vent.

À quelques mètres, il y a de l'herbe qu'elle pourrait caresser du bout des doigts, le ciel serait infini. Et elle ne ferait qu'un avec le mouvement de sa voiture. Et Paolo serait toujours vivant.

*

En fin d'après-midi, plusieurs corps endommagés sont stationnés dans la salle commune. Clémence discute avec un Asiatique malingre d'une vingtaine d'années qui pose sa DS sur son siège. En lui, on ne lit rien – ni tristesse, ni colère. Juste une légère timidité. Par désœuvrement, Sarah les rejoint.

— Moi, c'est Michael Tan.

— Sarah Lemire. Salut.

— Tétra ou para ?

Il marche sur des béquilles. Sa jambe a été amputée au-dessus du genou mais il ne porte pas de prothèse, juste son moignon nu.

Sarah hésite un instant. Elle n'a pas encore l'habitude de cette familiarité entre les malades mais, surtout, de cette familiarité avec son propre corps brisé.

— Paraplégique.

— Ah, cool, fait-il avec un bon sourire.

Il s'installe sur une chaise à côté d'elle tandis que Clémence reste debout, indécise. Elle scrute les patients autour d'elle, passant de l'un à l'autre. Personne ne paraît retenir son attention assez longtemps, avec une intensité suffisante. Elle s'attarde sur Christelle, la patiente à la prothèse, plongée dans un livre. Son front plissé retient un instant l'attention de Clémence. Peut-être est-elle envieuse de sa faculté de concentration.

De son côté, Sarah observe Michael Tan. Un visage fin, des yeux inquiets.

— Tu sais ce qui est bizarre, dit-il de but en blanc. J'ai l'impression d'avoir toujours ma jambe ; elle me fait mal, elle vibre, elle m'envoie des décharges. Mais le reste, par contre, n'existe plus. J'ai perdu ma coquille et le reste, tout le reste, peut me traverser. Toi, par exemple, si tu tends la main, j'ai le sentiment que tu passeras à travers mon épiderme. La psychologue pense que c'est une forme de psychose qui préexistait mais que l'accident a précipitée.

Il a raison. La ridicule enveloppe qui entoure les êtres, si facile à déchirer, à ouvrir, à mettre en pièces. Michael et son corps de brume lui évoque Charon, le nocher des Enfers.

Près d'eux, Samir et Louane font un baby-foot. Trois petits vieux dans la pièce restent silencieux. Parmi eux, le Fou quoique parfaitement immobile halète parfois à la manière d'un coureur accomplissant les derniers mètres de son sprint.

Seule dans un coin, Christelle lit toujours son livre en bougeant les lèvres. Sa voix perce un instant le silence :

— *Je le ferais si j'étais fou, et je le suis presque.*

Clémence ne la quitte pas des yeux.

À son tour, Sarah lorgne en cachette la couverture du livre, qui représente un homme en noir et blanc, torse nu, en train de sortir de la pénombre. Il lève le bras, un bras maigre, décharné comme la mort elle-même. Dans sa main luit un poignard qu'il s'apprête à faire retomber. Sa proie ne figure pas sur l'illustration. Le geste vengeur est figé pour toujours, tendu vers une cible invisible.

Machinalement, le Fou allume la télévision. Le poste retransmet une image de qualité médiocre, très pixellisée. Visiblement, il y a eu un attentat dans une ville du nord de la France. Une voiture piégée a explosé devant un centre commercial. Bilan provisoire : douze morts. Dans la chambre du kamikaze, les forces de l'ordre ont retrouvé un drapeau de Daesh.

Interrompant l'interview du patron du RAID, le Fou éteint la télévision. Personne ne proteste. D'ailleurs, aucun pensionnaire du centre n'a paru le moins du monde intéressé par l'information. Personne ne la commente, personne n'en prend acte. Les événements d'en bas leur sont apparemment devenus indifférents. Le monde d'où vient Sarah constitue une réalité parallèle. Leur quatrième dimension à eux.

Et nous autres, vieux rêveurs…

Christelle s'éloigne à pas lents, en oubliant le livre sur la table. Sarah penche la tête. Elle regarde l'écriture minuscule. Elle le saisit, l'ouvre. Une page au hasard. Les lignes se chevauchent, s'entremêlent, se fondent. Elle décroche. Pense aux sommets bleus, aux nuages. Puis Sarah lance le livre à toute volée. Elle le jette si violemment que la couverture se plie. Elle comprend parfaitement pourquoi on attribue des couleurs à la colère. La sienne n'est pas noire, elle est rouge vif. Elle lui enserre les tempes et le front.

Clémence contemple cette explosion, interdite. Elle lui laisse du champ, le temps que la fureur retombe. Sarah tente de se maîtriser. Elle ne sait pas pourquoi mais elle voudrait enfoncer son poing dans le mur. Chez elle, elle faisait toujours ça quand elle était énervée. Elle foutait un coup de pied dans la porte, un coup de boule dans une cloison. La douleur lui permettait de retrouver son calme.

Après le soulagement physique et bref, la honte domine.

— J'arrive pas à m'habituer, dit-elle à Clémence. L'immobilité, les montagnes. Tout ça. Je suis désolée. Je ne suis plus moi-même. Excuse-moi.

Clémence l'observe un instant avant de répondre :

— Ça ira mieux demain.

Toutes les deux sont distraites par l'arrivée du monstre, aperçu par Sarah lors de son premier jour au centre. La créature, qui marche avec une canne, se dirige vers le canapé. Tout près d'elle. Sarah se fige. L'air dégagé, manifestement habituée à côtoyer cet être qui n'a plus rien d'humain, Clémence le salue et lui présente Sarah, « la nouvelle ».

La créature, se guidant au son de sa voix, lui tend la main. Une main fine, aux ongles manucurés et laqués rouge vif. Sarah reste saisie devant l'élégance gracile de cette main, contrastant avec la débâcle des chairs du visage et du cou.

— Bonjour, je suis Hélène Delambre.

À la voix et aux fragments de couenne intacte, Sarah lui donne environ cinquante ans. Elle risque un regard plus haut. Se surprend à être soulagée de voir une poitrine. Deux seins, placés là où ils le sont généralement. Pour le reste, plus rien ne semble acquis de ce qu'on pourrait attendre d'une apparence humaine.

Sarah relève les yeux au-dessus du buste. La fonte du derme est un peu dissimulée par un châle tissé d'or et par une parure turquoise. La femme distinguée qui existe encore sous l'apparence monstrueuse doit souffrir terriblement. Sarah se sent soulagée de n'être pas elle. Pour la première fois, elle se surprend à trouver son sort plus enviable que celui de quelqu'un d'autre. Il y a des semaines qu'elle n'a plus envisagé de ne pas être la personne la plus misérable et malchanceuse de la Terre.

Malgré la honte qu'elle ressent à se réjouir du malheur d'autrui, l'apparence d'Hélène Delambre est un baume sur ses plaies ouvertes. Cette consolation lui permet de surmonter sa peur et sa répugnance. Elle regarde franchement les globes oculaires que la peau a recouverts, le nez fondu, le linceul de bijoux sous lesquels Hélène Delambre a choisi de s'abolir. Elle apprendra plus tard au prix de quelle torture la femme couvre de métal ses blessures encore à vif.

Hélène Delambre va s'asseoir au piano. Maintenant qu'elle s'est risquée à la contempler, Sarah ne parvient plus à détacher son regard. La femme caresse les touches du piano pour cartographier leur emplacement. Elle lève une de ses mains manucurées, qui reste un instant suspendue, puis retombe sur le clavier. Elle entame *La Lettre à Élise*. Les autres patients arrêtent leurs activités. Le Fou ferme les yeux. Samir et Jordan s'approchent d'Hélène Delambre. Ils vont se coller tout près du piano. Même Louane arrête de gesticuler pour écouter.

La femme qui joue a brûlé, elle s'est désintégrée, même Elephant Man, même la créature de Frankenstein ont une apparence plus humaine que la sienne. Elle n'a plus d'yeux, plus de nez, plus de lèvres, plus rien. Elle ne joue même pas très bien mais sa mélodie hésitante, exécutée sans yeux, couvre pour quelques minutes la détresse de ces corps perdus.

Quand Hélène Delambre termine son morceau, les malades se lèvent et applaudissent. Hélène n'a aucune expression, à cause de la fonte des chairs, mais on devine à un je-ne-sais-quoi dans son attitude qu'elle sourit.

Puis, la soirée reprend, entrecoupée de rires, de soupirs et de bavardages.

En esprit, Sarah raconte à son frère son premier jour au centre. Quand il viendra, ils plaisanteront ensemble de cette galerie de créatures grotesques.

Mais elle ne dira rien de ce moment qu'ils viennent de vivre parce qu'elle ne trouvera pas les mots.

Sarah voudrait ne pas entrer dans leur vie, ne pas entrer dans le centre. Elle n'est pas des leurs. Pas d'ici. Elle a un chez-elle, une vie où elle marche, conduit, se meut avec agilité, enserre des hommes avec ses cuisses. Un abri loin de la zone blanche, crépusculaire, où elle est emmurée.

Renaissance

Tous les matins, à dix heures, le docteur Lune sort « s'aérer les poumons », comme il dit, et faire une demi-heure de méditation. C'est un rituel auquel il ne déroge jamais. Il tient beaucoup aux exercices de groupe qui, selon ses termes, fortifient le physique en remontant le moral. Jamais Sarah n'a participé à ces séances. Mais, cette fois, Clémence insiste :

— Viens avec moi. Toute seule, je m'ennuie trop !

Clémence s'approche et prend la main de Sarah. Celle-ci finit par céder. Elles rejoignent le groupe.

Le docteur Lune se tient debout, dans l'herbe. Devant lui sont rassemblés une dizaine de patients. Il fronce les sourcils et les examine. Il semble chercher qui fait défection et le consigner dans un carnet mental. Se croyant à l'abri derrière le plateau technique, Louane fume une cigarette roulée. Le docteur Lune l'interpelle :

— Venez, venez. La méditation de pleine conscience est très bénéfique pour les troubles psychiques.

Louane éteint sa cigarette dans un cendrier colonne et rejoint le groupe en grognant.

Le docteur Lune aperçoit Sarah. Il hoche la tête discrètement, pour exprimer sa satisfaction, et porte son attention sur Clémence. Vêtue d'un jean et d'une chemise blanche, dressée sur ses deux jambes, elle est plus belle que jamais. Le médecin la détaille. Sa haute stature, ses rondeurs, le sein plein et le sein creux. Fasciné, il semble oublier un instant la séance.

Puis, il se reprend et incite ceux qui le peuvent à inspirer en levant les bras, à expirer en les laissant retomber le long du corps.

Le docteur Lune invite chacun à fermer les yeux et à se concentrer sur sa respiration. Sarah note deux autres patients qui, comme elle, restent sur la route bétonnée, confinés dans leur fauteuil. Clémence, tout près d'elle, a enlevé ses chaussures et posé sur l'herbe ses pieds nus. Leur blancheur laiteuse aveugle Sarah.

Le docteur Lune circule parmi les adeptes. Il pose sa main sur le ventre de Clémence pour corriger sa position.

— On gonfle l'estomac sur l'inspiration, pas le contraire. Inspire, gonfle. Expire, creuse. Bien…

Sarah vit le contact par procuration.

Le docteur Lune entame une litanie d'une voix grave, agréable :

— Vous ne pensez à rien d'autre, juste l'air qui entre et sort. Vous n'essayez pas de vous détendre.

Sarah se rappelle combien son frère et elle ont pu se moquer de ces Parisiens récemment épris de yoga et de *mindfulness*. C'est exactement ce que propose le docteur Lune : de la méditation de pleine conscience. Mais, depuis l'arrivée de Clémence, les activités les plus rébarbatives deviennent désirables.

Sarah ouvre les yeux, regarde autour d'elle les patients concentrés. Clémence. Ses paupières si fines qu'elles semblent bleues.

— Entrez en vous-mêmes, intime le docteur. Et visualisez votre respiration. Elle va et vient, va et vient. Vous ressentez peut-être des douleurs, des désagréments. Vous avez mal, pour certains d'entre vous… ou vous êtes si anxieux que votre souffle se bloque dans votre cage thoracique. D'autres encore sentent leur angoisse différemment, dans le ventre. Vous constatez. Vous accueillez la douleur. Mais vous ne la jugez pas.

La voix du docteur Lune contredit son apparence : elle est assurée, presque directive. Sarah a beau essayer de fixer ses traits, quelque chose en Virgile Debonneuil échappe à l'observateur. Il change de forme. À certains moments, il ressemble à un prêtre ; à d'autres, à un loup dans une bergerie.

Le docteur Lune parle toujours :

— Vous prenez acte de votre état. Quel qu'il soit. Douloureux ou agréable. Léger ou anxieux. Et, une fois que vous l'avez reconnu, vous l'acceptez. Vous ne cherchez pas à ralentir votre respiration, vous ne cherchez pas à vous détendre. Vous sentez juste l'air entrer et sortir de votre corps. Quel que soit son rythme et quel que soit votre état actuel. Vous ne visez aucune performance. Juste être là. Ici et maintenant.

Sarah sent le rythme de ses inspirations et de ses expirations s'emballer, devenir erratique.

À la fin de la méditation, durant laquelle Sarah a pensé à son frère, à ses crampes dans les cuisses, à Clémence, à Louane, aux ancolies, elle roule à l'écart du petit groupe. Elle sort une cigarette qu'elle allume à l'aide de son Zippo doré. Elle inspire la fumée, la garde en elle.

Clémence la rejoint en quelques pas. Sarah lui tend le paquet.

— Tu en veux une ?

Clémence secoue la tête. Quelques mèches de cheveux s'échappent de son chignon.

Avant l'accident, Sarah avait l'intention d'arrêter de fumer. Aujourd'hui, elle s'en fout éperdument. La cigarette lui fait tourner la tête. Elle est saisie de nausées, de vertiges.

Le docteur Lune s'approche des deux femmes. Il agite son doigt d'un geste désapprobateur à l'intention de Sarah.

— C'est très mal de fumer, dit-il sans se départir de son sourire.

— Heureusement qu'il me reste quelques plaisirs, répond-elle.

D'un coup, il s'assombrit. La remarque paraît pour une raison ou une autre l'avoir mis en colère.

— Ce n'est pas très malin de détruire d'un côté ce qu'on s'efforce de reconstruire de l'autre.

— Elle va arrêter, lance Clémence. Elle vient de me le dire.

Le docteur Lune se détend à nouveau. Il désigne les coteaux escarpés. Le ciel.

— Regardez comme c'est beau. Inspirez. Expirez. Au fond, c'est la seule activité au monde qui vaille vraiment le coup. Pas vrai ?

Il écarte les bras en croix, emplit ses poumons d'air frais. Il désigne les volcans à Clémence.

— Vous allez voir, le climat est rude ici mais ça fait un bien fou. Des fois, dans la vie, on court, on court sans s'arrêter. Sans prendre le temps de réfléchir. Je sais que c'est dur mais prenez votre séjour ici comme une pause. Un temps de réflexion. Un moment rien que pour vous.

Le visage du docteur Lune paraît réellement sur le point de se détacher et de prendre son envol. Comme un astre scintillant par intermittence sous un rideau de brume.

Mondes nouveaux

Après sa séance de kiné, Luc Ferrier demande à Sarah où elle veut aller. Elle désigne Clémence, qui peint dans l'herbe près de Louane et de Deborah Ndaye. Accroupie par terre, l'infirmière entreprend de coiffer sa patiente turbulente. Elle maintient la pression pour la faire tenir en place. Elle tente avec raideur de rassembler ses cheveux hirsutes en un chignon serré. Il se dégage de l'adolescente, de son débit, une tension perpétuelle. Elle bouge, s'agite. Ses jambes se plient, se détendent. Elle lance un bras en l'air. Il y a dans tous ses gestes un mélange de brutalité et de grâce qui fascine Sarah. Sa féminité naissante le dispute constamment à la brusquerie. Elle se déplace en survêtement sale, vieilles chaussures, tee-shirt informe. Le cheveu gras, mal peigné. Pourtant, en un instant, elle se transforme.

Après un coup d'œil sur la toile de Clémence, Sarah comprend qu'elle s'attache précisément à restituer ces métamorphoses. Elle jette des coulées roses et brunes. Elle les couvre de pointillés verts.

Nader Attar, le chargé de la réinsertion socio-professionnelle, s'avance vers leur groupe. Droit sur Louane.

— Je vous ai attendue une heure, hier.

Louane se tortille pour remettre son jogging en place.

— Pourquoi n'êtes-vous pas venue ? insiste Nader Attar.

Elle se penche, remonte le pantalon au niveau de sa poitrine.

— Hein, quoi ?

Nader Attar fronce les sourcils.

— Excusez. J'ai un pantalon spécial, m'sieur, dit Louane. Il tient que si tu bouges tout le temps.

Les malades se marrent, Attar pas du tout.

— J'imagine qu'il s'agit d'un trait d'humour, mademoiselle. Parfait. Mais tout votre humour ne vous servira à rien, pour vous réinsérer. Sauf si vous comptez vous lancer dans un one-woman-show bien sûr.

Louane le rejoint en deux enjambées.

— Mais j'ai un projet ! Je veux créer un bordel !

— Encore plus amusant.

— Justement, l'humour y sera la principale vertu de mes clients comme de la marchandise. Vous viendrez ?

Cette fois, Attar lui jette un regard glacial, plein de mépris.

— J'ai déjà un nom, lui crie Louane tandis qu'il s'éloigne d'un pas mesuré. La Maison des Amours Provisoires.

Tandis que Louane évoque son plan, Clémence recouvre les aplats brun et rose d'un rectangle rouge approximatif. Peut-être ce que lui évoque la « Maison des Amours Provisoires ».

Deborah Ndaye désigne le peigne, les barrettes et la trousse de maquillage à Sarah.

— Et vous, je vous fais quoi ?

Stupéfaite, Sarah regarde la trousse de maquillage pleine à craquer de rouges à lèvres, de fards à paupières et d'une foule de choses dont elle n'a pas idée.

— Rien, merci.

Mais Louane se redresse.

— Ah non, vas-y, me laisse pas toute seule. Je vais pas être la seule à avoir l'air d'une bouffonne.

Les yeux rivés sur la pointe de son pinceau, Clémence approuve :

— Oui, s'il te plaît, Sarah. Fais-le. Ça me ferait plaisir.

Sarah finit par se laisser faire. Deborah se place debout derrière le fauteuil et commence à coiffer Sarah. Ses cheveux sont assez longs. Ça fait longtemps qu'elle ne va plus chez le coiffeur.

— Je fais un chignon en hauteur, ambiance Audrey Hepburn.

— C'est qui ? demande Louane.

D'un mouvement élégant du bras, Deborah relève la chevelure de Sarah et l'accroche avec des épingles en un chignon banane savamment réalisé, qui dévoile sa nuque.

Deborah couvre ensuite ses paupières de rose et ses yeux cernés deviennent intenses, ses lèvres reprennent vie. La transformation s'opère d'un coup.

— Tiens-toi droite, dit Louane. Si tu veux que les autres te respectent, il faut te respecter.

Jordan s'allume une minuscule cigarette roulée. Il se marre.

— Tu lui donnes des leçons de maintien, toi ?

— Mais le maintien, je connais que ça ! proteste Louane.

— Ah, tu parles encore de ton bordel ? se marre Jordan.

— Une *maison de passe*. Tu viendras faire le videur. J'aurai besoin de gros bras un peu cons, comme toi.

Jordan crache par terre sans répondre, en souriant. Louane le toise.

— Mes filles sauront se tenir, elles sauront leur Bescherelle par cœur et aucune ne crachera par terre, même sous la menace de la torture.

— Et ça servira à quoi, toute cette politesse, pour tailler les pipes ?

Cette fois, Louane pose sur Jordan un long regard mélancolique. Elle paraît terriblement triste pour lui.

— Mon pauvre, dit-elle, si tu crois que les hommes viennent au bordel, comme tu dis, pour se faire tailler des pipes, c'est que t'as vraiment rien compris à la vie…

Clémence n'écoute rien, elle se bat avec sa peinture à grands coups de couleur. Mais Sarah ne peut plus voir l'avancée du tableau. Deborah est en train d'agrandir ses yeux avec de l'eye-liner noir.

— Et moi, tu me recruteras dans ta maison de passe ? demande Sarah.

— Comme « accompagnatrice » ? Pourquoi pas ?

Puis, Louane regarde Sarah des pieds à la tête. Elle scrute son nez, ses yeux, ses seins aussi.

— Tu as des atouts. Tu restes jolie, même si t'es vieille. T'as une belle peau. Des beaux yeux marron. Et ton fauteuil, on sait jamais, y en a certains qui peuvent aimer ! Mais je te préviens, dans ma maison, les filles subiront des petits arrangements chirurgicaux. Pas pour avoir des gros seins ou des nez plus fins, au contraire. Plutôt pour leur créer des petits défauts qui les rendent uniques.

— Ça, pour les petits défauts, tu n'auras pas besoin d'en rajouter, remarque Sarah. J'ai eu douze points de suture au bras gauche. Des agrafes partout à l'intérieur. Et des jambes mortes. Ça devrait suffire, non ?

Louane réfléchit.

— Ouais, pour toi ça devrait aller. Après, mes filles devront suivre deux ans de formation. Je leur apprendrai la danse, la littérature, la musique… T'as fait des études ?

— J'ai la licence délivrée par la FFSA, répond Sarah. La fédération française du sport automobile.

— Ah…, dit Louane, visiblement ennuyée. Ce n'est pas exactement le genre de diplômes que je recherche. Je voyais plutôt des filles en master de littérature médiévale. Ou des joueuses de harpe. Des trucs stylés, quoi.

Louane soupire, puis fait contre mauvaise fortune bon cœur.

— Ça permettra de fidéliser certains hommes. Ce

n'est pas exactement la clientèle que je cible. Mais il y a peut-être des gentlemen parmi les amateurs de bagnoles.

— Possible. Perso, j'en ai jamais rencontré.

— Dernier point : je serai intraitable sur l'hygiène, évidemment. À l'issue des deux ans, je garderai une fille sur vingt.

— La vache, siffle Jordan, impressionné.

Deborah Ndaye montre à Sarah le résultat de sa coiffure et du maquillage dans un miroir de poche grossissant. Sarah se contemple, étonnée. Elle apparaît autre. Plus agréable à regarder. Elle essaie de se détendre, de respirer. Elle se sent toujours oppressée par l'air vif et piquant des montagnes. Elle se rallume une clope. Elle se dit qu'au retour dans sa chambre, elle réussira peut-être à aller aux chiottes. Après tout, ils finissent tous par y arriver. Elle les scrute. Ils parlent de façon animée mais elle ne prête pas attention à leurs propos. À la place des mots et de leur signification, elle visualise l'intérieur de leur corps. La vaste tuyauterie. Le reflet du miroir s'estompe, laissant place à la vérité organique des êtres. Sous la peau, sous l'apparence, elle imagine les boyaux, les viscères. La machinerie putride, la grande usine à décomposition.

Sa maison de passe, raconte Louane, lui permettra de vivre dix fois mieux que Samir et son pauvre salaire de boxeur. Ou même d'informaticien, s'il y arrive. Elle va se faire des tonnes de pognon. Parce qu'une chose dont elle est sûre : les gens ont besoin de beaucoup plus que de sexe ; ils ont besoin d'affection, d'intelligence, d'humour. Elle commencera par lancer une maison à destination des hommes hétérosexuels. Puis, une fois le concept développé, elle le déclinera pour les femmes hétéros, puis les homos, les lesbiennes. Des « salons d'amours provisoires ».

— C'est le cas de le dire, lance Jordan en riant. Avec ta maladie, là, ton pronostic, c'est quoi : quarante piges ? Cinquante max ?

Louane rit de bon cœur.

— Tu te rends pas compte parce que t'as déjà vingt-huit ans, mais quarante ou cinquante ans, c'est ultra vieux. Je vais engranger le blé direct et le dépenser aussi sec. Pour la vie comme pour le cul, l'important, c'est pas la durée, c'est l'intensité.

Clémence tourne enfin le tableau vers Sarah.

— Voilà, c'est fini. Tu aimes ?

Sarah voit émerger les figures sous le désordre apparent de la matière. Le rectangle approximatif n'est pas une maison, c'est son fauteuil. À moins que ce ne soit une voiture. Quant à l'entrelacs noir et rose, c'est elle, roulant sur l'asphalte. À la fois parfaitement immobile sur la toile, et lancée à toute allure sur un chemin de verdure imaginé par Clémence.

Lignes brisées

Sarah regarde, fascinée, naître de nouveaux mondes sous les pinceaux de Clémence. Son amie couvre de paysages leur existence pauvre et nue. Elle peint la mer, inlassablement la mer, les vagues, l'écume et le vent, et dans cet océan de bleu, il y a toujours une lueur. Parfois, ce n'est qu'un point d'or brillant dans le lointain ; mais parfois aussi, le point s'élargit aux dimensions du soleil, des planètes, parfois même de l'univers. D'autres fois encore, la mer elle-même devient une coulée d'or.

Avant d'entamer sa nouvelle toile, Clémence demande à Sarah d'où elle vient.

— J'habite à Paris, répond Sarah.

Les yeux de Clémence s'obscurcissent. Visiblement, Paris ne lui évoque rien, ou pas assez. Puis Clémence observe Sarah et dit :

— Non, je parle d'avant. Tu vivais ailleurs, avant. Non ?

Sarah se demande à quoi elle le pressent. Il y a si longtemps qu'elle n'y a plus pensé. Elle fait l'effort, elle se replonge. Elle se met à remâcher de vieux rêves, de vagues réminiscences. Elle n'aime pas ça. Elle ne voulait que se projeter : plus tard, demain, l'an prochain… Les souvenirs, pour elle, étaient le loisir de ceux qui n'ont plus rien. Rien à attendre, ni à espérer. Et voilà qu'elle en fait partie.

Le Loiret. Elle et ses parents vivaient à Vannes-sur-Cosson. Une maison isolée au milieu des champs. Plus loin, il y avait des forêts où son père aimait chasser et des marais où ils avaient une barque. Elle restait amarrée au milieu des nénuphars, sous les saules. Le fond avait un trou, mais l'eau était si lourde, épaisse et noire, qu'elle continuait à la maintenir à la surface, en sursis.

Elle raconte son coin, sa terre. Les libellules aux ailes bleues. Sa mère les nommait des « demoiselles ». Sarah revoit des détails qu'elle a crus oubliés. Le parfum des marais remonte jusqu'ici, dans leur centre perché sur les cimes, où l'air est si pur qu'il brûle les poumons.

Clémence ne répond rien. Avec elle, ce n'est jamais une conversation ordinaire. Elle se sert juste de paroles glanées ici ou là pour rajouter des traits, des taches, des lignes courbes ou brisées. Et la toile se tapisse de verdure, de lacs, de bois, de tournesols, de colza et de maïs.

Sarah lui décrit la maison de son enfance et la maison se transforme en traits, en formes et tourbillons de couleurs. Des dégradés de brun. Des pourpres. Clémence ne restitue pas l'endroit exact, mais on s'y sent chez soi. Un feu de cheminée brûle. Et là-haut dans la montagne, on a plus chaud, d'un coup.

— Quand j'étais gamine, raconte Sarah à Clémence, je ne voulais jamais faire ce qu'on me disait. D'après ma mère, c'était un truc que j'avais dans le sang. Un truc avec la désobéissance.

Clémence dessine les bois, les chasseurs avec leur fusil, des oiseaux suspendus aux nuages, des aubes d'argent, des crépuscules. À mesure qu'elle peint, des pans entiers de mondes enfouis reviennent à Sarah.

— Je pensais toujours qu'à désobéir, poursuit Sarah. À faire des conneries. Rendre les coups. Je sais pas pourquoi.

Clémence abolit les murs. Elle abolit la pierre, le centre de soins de suite, la crasse. Elle abolit jusqu'à l'idée même d'immobilité.

*

— Ma mère voulait que je sois poète, et moi j'aimais que les courses, continue Sarah.

Derrière elle retentit un éclat de rire.

— Elle avait raison : poète, ça rapporte rien.

Attiré par la toile, Luc Ferrier, le kiné, s'est approché des deux femmes.

— Excusez-moi, je ne voulais pas être indiscret. Je passais juste et je vous ai entendues. Mais je ne vous dérange pas plus longtemps.

— Vous pouvez rester, dit Sarah.

— Pour rien au monde ! lance-t-il d'un ton enjoué. Les types d'ici en crèveraient de jalousie. « Les deux grâces », on vous appelle. Vous le saviez ?

Sarah tourne la tête vers le kiné pour déceler

des traces d'ironie sur son visage. Mais ses lunettes rondes, reflétant l'éclat du jour, dissimulent ses yeux. Dans l'autre vie, celle d'avant l'accident, elle se souvient que des hommes l'ont trouvée belle. Mais aujourd'hui, la beauté ou même la grâce ne la concernent plus, ou seulement par dérision. Pourtant, Sarah est troublée d'être associée à Clémence, dont la perfection physique est indiscutable. Peut-être la splendeur de son amie rejaillit-elle sur elle.

Quand Luc Ferrier repart, après avoir félicité Clémence sur ses talents de peintre, Sarah lui lance :

— Je crois que tu lui plais.

— Non, c'est toi qui lui plais, répond Clémence.

Sarah s'interrompt, elle vient de ressentir de brusques picotements dans les jambes. Le docteur Lune l'a mise en garde : cette sensation ne veut rien dire. Elle n'est qu'une illusion des sens. Mais l'illusion est si prégnante qu'il est impossible de ne pas espérer.

Si les jambes de Sarah restent inertes, ses bras sont désormais assez puissants pour actionner son fauteuil vingt minutes, une demi-heure de suite. Pour les raffermir, elle participe à un atelier volley-ball au moins six heures par semaine. Elle devient plus agile, parvient à virer à droite, à gauche, malgré les larges roues. D'après Luc Ferrier, sa pratique du sport en compétition va constituer un renoncement douloureux, mais il est sa plus grande chance. Son endurance l'aidera à surmonter le handicap.

À l'instar de ses bras, son cerveau s'est mis en marche depuis que ses jambes ne le peuvent plus. Sa mémoire, ses réflexions. Sa capacité à imaginer. Son séjour au centre l'a transformée. L'ennui, notamment. Son père disait qu'il rend intelligent. Aujourd'hui, Sarah comprend ce qu'il voulait dire, même si elle donnerait tout pour rester stupide et égoïste là-bas, dans le vrai monde, celui où on court et où on conduit.

— Demain, dit Clémence, ma mère amène Mathieu au centre.

Alors qu'elle a parlé sans intonation particulière, la toile vert et noir se couvre de minuscules étoiles d'or.

La joie

Ce matin, Clémence se lève dès l'aube. Elle se glisse sans bruit dans la salle de bains. Sarah a déjà les yeux ouverts. Elle n'est pas certaine de les avoir fermés une seule fois de la nuit. Elle roule vers la fenêtre et scrute l'horizon pour apercevoir le petit garçon et la mère de Clémence. Son cœur bat à se rompre. Elle vit par procuration la joie de son amie. La venue de l'enfant lui paraît extraordinaire. Un rayon de lumière dans un ciel noir. Il y a si longtemps qu'elle n'a plus vu de gens d'en bas.

Le vent souffle fort. Sur les monts escarpés, à l'exception des épicéas, les feuilles des arbres sont devenues jaunes et rouges.

Clémence regarde avec inquiétude les lacets du chemin. Elle aperçoit de loin la voiture blanche de sa mère. Elle agite les bras. Le véhicule ne forme pourtant qu'une minuscule tête d'épingle dans la vallée.

Ils arrivent enfin. Mathieu porte un pull Spiderman bleu et rouge. Jocelyne le pousse pour qu'il approche de Clémence. Mais il reste en retrait.

— Viens, mon poussin, dit Clémence.

L'enfant reste debout. Figé. Sarah imagine le désarroi de Clémence qui a tant rêvé à leurs retrouvailles.

— Tu manges bien ici ? dit la mère de Clémence.

— Pas mal.

— C'est jamais comme chez sa mère, hein ? On mange toujours bien, chez sa mère.

Le silence retombe. Clémence tend la main vers Mathieu. Elle n'a rien à dire, rien à raconter, elle veut juste le toucher. Tenir sa main. L'enfant hésite, décide finalement de se laisser faire.

— Je t'ai fait un dessin mais je l'ai oublié, dit-il.

Clémence sourit.

— Raconte. C'était quoi ?

Le petit s'anime.

— Une maison. Il y avait moi devant. Et une statue en pierre. La statue, c'était toi. Et à côté, il y avait des arbres et un renard.

— Il y avait un grand soleil aussi, ajoute Jocelyne pour prendre part à la conversation. C'était un très beau dessin.

Mais Clémence ne l'écoute pas, ne la regarde pas, elle n'a d'yeux que pour son fils.

— Un renard et une statue ?

— Oui. Ça te plaît ?

— Beaucoup, dit Clémence.

— Il était très déçu de pas te l'avoir apporté, dit Jocelyne. Il a pleuré. Et mamie a dit quoi ? Mamie a dit qu'un garçon ne doit pas pleurer.

Clémence regarde brièvement sa mère. Son visage las, ses yeux bleus si clairs qu'ils semblent couler en permanence. Elle prononce des phrases interchangeables :

« C'est quand même pas croyable, on se croirait en été. »

« C'est moi, ou leurs produits lavent de moins en moins bien ? »

« On se demande bien où tu es allé te fourrer. »

On dirait qu'elle s'enfonce en elle-même, bien au fond, à supposer qu'il y ait eu chez elle un fond, ou un « elle-même ».

— C'est des conneries, Mathieu !

D'habitude, Clémence prend soin de ne jamais utiliser d'argot, ni d'injures. Mais les mots sont sortis tout seuls. Elle serre la main de son petit garçon.

— Tu peux pleurer. Tous les garçons pleurent. Les hommes aussi, ils pleurent.

Le petit garçon paraît surpris.

— C'est vrai ? Et toi ?

Clémence hoche la tête.

— Oui. Moi aussi. Et toi, tu es triste. Ta maman est malade, c'est normal. Et tu sens qu'elle va mourir.

— Clémence ! l'interrompt sa mère.

— Quoi, tu veux lui mentir ? Et quand on me mettra dans une boîte, tu lui diras quoi ?

— La vérité : que tu es au paradis.

Clémence se tourne vers son fils et lui sourit.

— Quand je vais mourir, tu pourras pleurer si tu en as envie. C'est toujours un peu triste d'être séparé des gens qu'on aime.

L'enfant hoche la tête.

— Tu veux peindre ? lui demande Clémence.

Clémence, Sarah, Mathieu et Jocelyne se sont installés dans le parc. Des clématites violettes et bleues, recouvrant un arbuste, sont en pleine floraison. Mathieu se concentre sur la toile que sa mère lui a donnée. Il trace à la gouache, maladroitement, un personnage aux grands yeux, sans nez. Il lui fait de longs cheveux blonds, naissant au niveau des tempes et descendant jusqu'au sol. Rien au sommet du crâne. Une robe bleu pâle, alors que Clémence n'en porte jamais.

— C'est toi, dit-il à sa mère.

À quelques mètres, Samir Boutier se rend en balnéothérapie. Mais l'herbe est encore humide, sa béquille glisse dans la rosée et, à cause de son côté paralysé, il perd l'équilibre et se récupère in extremis. Mathieu n'a rien perdu de la scène et, devant le visage compassé de Samir, il éclate de rire. Son rire, d'abord étouffé, devient immense. Jocelyne le foudroie du regard.

— Mais enfin, Mathieu. On ne se moque pas d'un handicapé !

Mathieu se tourne vers sa mère pour voir si elle confirme les propos de sa grand-mère. Clémence prend son fils dans ses bras, elle lui sourit.

— Mais si, c'était amusant. Inutile de nous prendre trop au sérieux parce qu'on est malades. Ça ne nous rend ni nos jambes, ni notre santé.

Clémence prend la main de l'enfant dans la sienne. Elle grave le rire du petit pour plus tard, pour le rembobiner quand elle sera à nouveau sans lui.

À quelques mètres de là, Alexandre Ladoux s'allume une cigarette. Sarah suit la direction de son regard. Il observe Clémence, qui serre son fils contre sa poitrine du côté gauche, là où elle n'a plus de sein.

Une trêve

Sarah quitte Clémence à contrecœur pour aller à sa séance hebdomadaire chez la psychologue, Mme Cortazar. Tête de serpent, œil vert, chignon tiré. Elle lui sourit. Comme les autres fois, Cortazar observe longuement Sarah sans prononcer une parole. Elle veut la déstabiliser, la pousser à parler la première – Sarah connaît par cœur leurs putains de tours. Elle ne dit rien non plus. Et que le meilleur gagne.

— Vous avez l'air plus apaisé que d'habitude. Il s'est passé quelque chose de spécial ?

Pour une fois, Cortazar prend Sarah de court. Elle ne s'attendait pas à un tel discernement de la part de la petite dame fluette. Elle réfléchit. Qu'est-ce qui s'est passé, à part Clémence ? Clémence et ses peintures. Clémence et les mondes qu'elle a déroulés pour elle.

Cette promiscuité aurait dû la déprimer. Il a fallu apprendre la vie commune. Partager les aléas de leurs corps détraqués. Faire la conversation. Éteindre la télé. Or, en ce moment, Sarah reste des heures devant le petit écran. Il y a, à cela, une raison impérieuse : la vie du centre l'a happée si brutalement que la réalité, la vie d'en bas, lui paraît désormais un songe. Aussi se nourrit-elle d'informations pour tenter de s'ancrer dans un monde qui, jusque-là, a été le sien et doit le redevenir.

Depuis qu'elle a vu un kamikaze se faire sauter en direct, elle passe en boucle BFMTV. La peau qui se déchire, l'intérieur qui se disperse hors de sa minuscule enveloppe. Ces images la fascinent. Vu de là-haut, près des volcans, le monde a sombré dans la barbarie. Des fous ont décidé de le réduire en cendres tandis qu'eux, ici, tentent de se réparer. La comparaison entre le monde embrasé et le centre perché sur les nuages rend sa lutte pour marcher plus ardue et plus dérisoire. Pourquoi vouloir se tenir debout quand tout s'effondre ?

Tirs à la kalachnikov, prises d'otages, tueries, voitures piégées, camions fous, égorgements. Rien ne semble arrêter le carnage.

Et eux, petit garage minuscule perché dans la montagne.

Tandis que le monde agonise, Clémence peint. Sarah contemple sa main levée, la pointe jaune de son pinceau. Elle profite de l'instant délicieux où tout reste à inventer. Où la page blanche est encore porteuse de tous les mondes possibles, de toutes les émotions, où les couleurs tels de grands oiseaux font planer leur aile au-dessus du vide.

Et, ce faisant, l'esprit anéanti de Sarah frémit. Il s'éveille d'une longue torpeur.

Clémence prend du bleu et couvre la feuille de traînées inégales, de roulements marins.

Clémence jette si fort la peinture sur la toile que des projections atterrissent partout autour d'elle, jetant des pointillés bleus sur le drap, sur le sol et sur sa peau laiteuse.

Les pointillés bleus représentent son fils, Mathieu, lui a expliqué Clémence. Le petit garçon adore la mer. Ils ont pêché des coquillages, quand la marée descendait. Clémence, de l'eau jusqu'à mi-mollets ; lui, les jambes trempées. L'Armée du Salut lui a donné un pull marin et une vareuse. Il y avait encore l'étiquette du garçon à qui ils n'allaient plus : « Simon ». Clémence pensait à ce petit Simon avec un mélange de douceur et d'amertume. Lui, il avait sans doute une mère vaillante, qui gagnait bien sa vie.

Clémence jette deux taches jaunes sur l'eau et le ciel. Le jaune éclatant des bottes en caoutchouc qu'il portait, cet été-là.

Sarah la regarde saisir le pinceau et, dans le clair-obscur, se pencher sur une feuille. Elle trempe le pinceau dans un verre d'eau. Elle peint des choses qui ressemblent à la mer ou au ciel, parsemées de poussières d'or, elle peint des dieux, des monstres, des libellules à têtes d'enfants, des minotaures, des fées, des sorcières.

Sarah regarde Mme Cortazar de son air le plus absent.

— Non, ment-elle, il ne s'est rien passé de spécial.

Le tableau jaune

Quand les deux femmes se retrouvent dans leur chambre, ce soir-là, Clémence est transfigurée. Elle sourit. Jocelyne a promis de revenir. Après tout, elle ne met que deux heures en voiture. Maintenant que la glace est brisée entre le fils et sa mère, ce sera plus facile. S'imaginer que les visites de Mathieu vont s'inscrire dans le temps du centre, en rythmer la routine immuable, que le monde d'en bas et le monde d'en haut vont devenir poreux, leurs frontières se dissoudre et se fondre, rendant à l'existence d'ici une banalité salutaire, créant dans leur enfermement un point de fuite, Clémence est submergée par l'allégresse.

Elle approche d'une toile accrochée au mur. Elle ajoute de longs traits jaunes sur les rochers.

— Qu'est-ce que tu fais ? demande Sarah.

— Des rayons de soleil.

— Mais on voit plus rien de l'ancienne toile, du coup.

— C'est pas grave. C'est comme ça quand il fait

beau, t'as pas remarqué ? Tout s'efface, y a plus qu'une lumière éblouissante.

Sarah regarde le tableau. Vu de près, on aperçoit un paysage, à l'arrière, et des villageois un jour de marché. Mais tout est baigné par la lumière d'août.

— Tu as raison, dit Sarah. Il est magnifique.

En voyant son enthousiasme, Clémence sourit.

— Si tu l'aimes, il est pour toi.

— Vraiment ? Tu devrais pas, ça vaudra peut-être des millions, un jour.

Clémence sourit encore.

— Ça me fait plaisir que tu l'aies.

Sarah la remercie en lui envoyant un baiser du bout des doigts.

— C'est quoi, son titre ?

Clémence la considère avec étonnement. Elle n'y a pas songé, ni pour celui-là ni pour les autres.

— « Tableau jaune ».

Sarah fait la moue.

— Tu aurais pu te fouler un peu.

— C'est ce qu'il est, non ? Un tableau jaune.

Elle hausse les épaules.

— OK, OK, va pour « tableau jaune ».

Dans son élan d'allégresse, Clémence continue à peindre. Mais, cette fois, elle peint sur sa peau. Elle ne recouvre pas sa blessure de peinture, elle ne la dissimule pas, mais elle fait naître des feuilles et des bourgeons sur la cicatrice. Des oiseaux s'y posent. Du moins Sarah s'imagine-t-elle des oiseaux, car Clémence peint des états d'âme plutôt que des êtres ou des choses réels.

Puis elle approche de Sarah.

— Je peux ? interroge-t-elle.

Clémence soulève sa blouse, découvre ses cuisses et peint sur ses jambes des éclats bleus, bleu roi, bleu nuit, bleu pâle.

Le pinceau lui chatouille les pieds. Sarah se dit que c'est bon signe. Elle perçoit même les poils de martre sur ses mollets. Les sensations commencent à revenir, et pas seulement la douleur.

Clémence redresse la tête vers elle, surprise.

— C'est marrant, j'avais jamais entendu ton rire ; il est très bizarre. On dirait…

Elle cherche.

— On dirait une vieille traction.

Les jambes de Sarah sont entièrement couvertes. Son amie lui a peint une queue de poisson. Clémence abandonne la sirène, elle se relève et prolonge leurs corps-paysages en traçant de longues lignes jaune d'or sur les murs. Du bleu roi. Des ombres. Impossible de dire si Sarah et Clémence sont entrées au ciel ou au cœur d'un monde sous-marin.

En un instant, ses plaies deviennent des univers, des lignes de fuite, des émotions.

Quand Deborah Ndaye vient ouvrir la porte pour changer les draps, elle découvre le mur barbouillé. Elle reste en arrêt devant ce qu'elle considère comme des graffitis. Fait demi-tour. Sans un mot.

Sarah se tourne vers Clémence mais la jeune

femme poursuit sa tâche. Montée sur le lit, elle lance des giclées sur le plafond. Son tableau, qui part de la toile, est désormais gigantesque, il cherche à conquérir la chambre, le centre tout entier et la douleur. Pour la première fois, une peinture crée en Sarah un paysage, un paysage réel, physique. Elle lui ouvre les portes d'autres mondes, lui dévoile d'autres chemins à emprunter non plus pour atteindre une destination, mais pour se perdre. Elle voit, sous ses yeux, naître un lieu plus grand que les murs qui lui servent de support.

La porte s'ouvre brusquement sur le docteur Lune.

Virgile Debonneuil inspecte la pièce. La toile, les traits bleus et jaunes qu'elle fait naître. Une marine immense, inondée de soleil.

Il regarde leurs deux corps, fasciné. Il s'attarde sur celui de Clémence, sa peau laiteuse parcourue d'oiseaux et de fleurs des montagnes.

Deborah, qui ne voit que des taches, attend son verdict.

— Il est interdit de peindre sur les murs, dit le médecin.

Le docteur Lune poursuit :

— Mais je vais réfléchir. J'ai toujours voulu que les murs du plateau technique soient recouverts d'une fresque. Vous qui aimez le soleil et la mer, vous pourriez vous y mettre.

Clémence sourit, en hochant la tête.

Il se tourne vers l'infirmière.

— Vous lui fournirez son matériel. Car il y a beaucoup à faire.

Deborah Ndaye se compose une expression de joie si feinte qu'elle frôle l'insolence.

— Bien sûr.

Virgile Debonneuil la regarde. Il a un regard bleu et fixe. Elle hoche la tête, vaincue.

— Si tel est votre bon plaisir, ajoute-t-elle.

Le docteur Lune se tourne vers Clémence, toujours perchée sur le lit.

— Marché conclu, donc. Vous vous y mettrez dès que possible.

Clémence hoche la tête, enthousiaste. Le docteur Lune s'attarde. On sent qu'il aimerait prolonger l'entretien. Mais il ne trouve pas de motif. Il abdique.

— C'est très joli, ce que j'ai vu. Merci de nous avoir offert ce tableau.

Sarah se demande s'il parle des créations de Clémence ou de sa nudité.

Plus tard, Clémence se met en chemise de nuit. Contrairement à Sarah, la jeune femme possède une autonomie complète. Sarah l'observe à la dérobée. Son visage est illuminé. Elle conserve tout, les feuilles et les oiseaux sur son ventre, ses cuisses et sa poitrine. Sarah s'émerveille de la beauté de son sein unique, très pâle.

— Bonne nuit, murmure Clémence.

Puis elle éteint la lumière.

— À demain, murmure Sarah.

ACTE II : LE PURGATOIRE

Si bas il tomba, que, pour le sauver, nul autre moyen ne restait que de lui montrer la race perdue.

DANTE ALIGHIERI, *Le Purgatoire*, chant XXX, traduction par Félicité Robert de Lamennais, 1910.

Cauchemars

Sarah ouvre les yeux. Elle touche le mur, sursaute devant le contact froid, rugueux, de la pierre, ses aspérités, comme des écorchures. Son esprit occupé de visions brèves et pénibles. La tête douloureuse. Elle se rendort.

Une femme se découpe sur fond d'automne. Ses cheveux se prolongent dans les feuilles jaunes, brunes et rouges des arbres. Ses mains font des mouvements amples telles les branches sous le vent.

Dans sa tête, encore étirée de rêves, d'images qui s'interrompent, de tableaux qui se figent, se dissipent : Sarah marche le long d'un chemin, la lumière aveuglante du printemps. Le bois, les marais.

Sarah descend. Elle touche l'herbe avec ses pieds. L'herbe humide. Elle ouvre la porte d'entrée. Elle traverse des couloirs. De longs couloirs noirs.

Elle va au bout de tous les couloirs. Au fond du monde.

Là, elle se retrouve devant une porte en fer.

La porte s'ouvre. Sarah entre. Il fait froid. La pièce sent le bois, l'humidité et d'autres odeurs.

Près d'elle, son copilote hurle : *Je le ferais si j'étais fou, et je le suis presque.*

Au bord de l'éveil s'entremêlent les visions : le chemin de terre, de pierre, et lui qui chemine, la lumière du printemps, l'obscurité de sa chambre, la longue chevelure rideau de la nuit.

Sur les bords de l'eau noire du marais, baignant dans le soleil éblouissant. Les deux visions : la clarté presque blanche, les miroitements infinis de l'eau, et pourtant cette obscurité totale, effrayante.

Sarah se laisse aller à quelque rêve étrange et persistant.

Au bord de l'eau des marais et de l'éveil. Elle voit l'eau et c'est tout. Rien d'autre que l'eau qui dort. Elle a tout oublié. Ankylosée, lourde d'une douleur sourde. S'étirer. Ses bras se cognent contre les murs. Ses jambes se cognent contre les murs. Se rendormir. Surtout se rendormir. Convoquer une image, une vision agréable, rester assoupie le plus longtemps possible. Se rendormir jusqu'au retour de quelqu'un. Se rendormir… Comment se rendort-on ? Il paraît que les vrais dormeurs se disent des contes, s'imaginent parfois une foule de choses pour mieux glisser dans le sommeil, finissant le livre fermé, reposé sur la table de nuit, perpétuant le voyage esquissé d'un personnage secondaire, se coulant dans une béance du récit pour s'inventer une suite qui le fondra à la nuit. Mais sa crampe au mollet est bien réelle. Et puis cette douleur aux jambes, lancinante.

Éveillée tout à fait, prendre la mesure du réel : son corps douloureux, les ténèbres de la chambre, les murs du centre.

Sarah se réveille en sursaut d'un sommeil profond comme un puits, peuplé de cauchemars, persuadée d'avoir été droguée.

Effleurements

Lorsqu'elle ouvre les yeux, Alexandre Ladoux est penché sur elle. Elle crie. Il pose une main sur ses lèvres pour la faire taire. Elle se sent mal. Paupières lourdes, crâne dans un étau. Elle qui a le sommeil si léger n'a pas ouvert l'œil de la nuit. Pourtant, il y a sans doute eu du bruit car Clémence est déjà sortie. Sarah regarde son réveil. Neuf heures. Des années qu'elle ne s'est plus réveillée si tard.

Elle est en sueur. Elle dégouline. Alexandre soulève le drap pour faire sa toilette comme tous les matins, entre huit et neuf heures, avant la méditation du docteur Lune.

— Vous avez bien dormi ?

Sarah reste inerte. Elle voudrait ne pas se lever. Elle espère que l'aide-soignant va l'assommer de calmants et d'antidouleurs, comme à l'hôpital. Elle se rendormira et, durant quelques instants, oubliera sa carcasse brisée.

Sans ajouter un mot, Alexandre la redresse. Il la soulève et la porte dans ses bras pour l'asseoir dans son fauteuil. Elle sent jouer les muscles de ses bras contre sa peau. Il a une odeur mêlée de sueur et de parfum.

Il entoure ses épaules d'un sac-poubelle noir et, lentement, fait glisser de l'eau tiède sur ses cheveux. L'eau se répand dans une bassine placée sous la tête de Sarah, et aussi dans son dos et sur le fauteuil. Puis il la shampouine, massant son crâne longuement. Il rince ses cheveux.

Avant d'enlever le sac-poubelle, il la coiffe. Comme pour le reste, il le fait avec mille précautions, soucieux de ne pas lui faire mal. De nombreux fils noirs, parfois gris, restent sur le peigne. Depuis son hospitalisation, ils tombent par poignées. Sarah en retrouve partout, accrochés aux draps de son lit. Sur le sol. Certains se collent dans son dos, sur ses bras. L'impression de partir en lambeaux.

Elle n'est pas la seule à perdre ses cheveux. Alexandre lui explique que de nombreuses filles souffrent ici de pelade plus ou moins sévère.

Sarah se dit que les morts sont plus vivants que les patients du centre. Même au fond du tombeau, leurs ongles et leurs cheveux continuent de pousser. Mais les gens, Sarah en particulier, ne sont pas faits pour être enfermés. Fracturés, immobilisés. Son organisme s'est mis en grève. Il s'est arrêté de fonctionner. Noué, bouché, pourri de l'intérieur.

*

Alexandre la porte à nouveau dans ses bras pour la hisser sur son lit. Tout en la maintenant en position assise, il la contourne. Tandis qu'il fait rouler sa chair sous ses doigts, elle essaie de revoir le tatouage dont l'amorce exerce sur elle un effet magnétique. Mais elle n'en a pas l'occasion car Alexandre entreprend du bout des doigts de la parcourir, scrutant les bleus, les blessures, les escarres, les coutures.

D'abord il va se placer derrière elle, il effleure son cou. Palpe les vertèbres, touche ses trapèzes. Le contact de ses doigts lui crée une double sensation de plaisir et de honte. Inerte depuis des mois, elle a l'impression de sortir d'une longue période d'atrophie. Brusquement, son épiderme se dresse.

— Vous avez froid ? Vous voulez que je monte le chauffage ?

Comment lui dire que, si son dos se couvre de chair de poule, ce n'est pas le froid mais un désir enfoui, inattendu, qui vient de la traverser ? Vivre sans zone où se cacher est certainement le plus pesant pour Sarah. Désormais, son organisme n'a plus de secret pour personne. Il a été ouvert, inspecté, recousu, et le moindre de ses frissons se fait maintenant à découvert.

— Oui, un peu, ment-elle.

Alexandre Ladoux sait qu'il s'agit d'un mensonge puisque, l'effeuillant du bout des doigts, il a forcément constaté que, loin de grelotter, elle est en feu.

Sarah se raisonne : il doit être habitué. Ce sont des réflexes mécaniques, dus à la présence de petits muscles situés à la base du poil. Lorsqu'ils se contractent, ils créent des mini-érections, destinées à limiter la déperdition de chaleur. Un jour, son père, tenant un hérisson au creux de sa main, avait expliqué qu'il dressait ses piquants pour augmenter son volume corporel et impressionner ses ennemis. Peut-être le mécanisme est-il le même dans ce cas, peut-être cherche-t-elle à se protéger du contact de ces mains inconnues. Peut-être ce qu'elle a cru du désir n'est-il, au contraire, qu'une feinte pour repousser l'ennemi.

Dans son autre vie, Sarah n'a jamais été une coureuse – étrange que l'expression qui lui vienne soit justement celle-là. Mais elle ne rechignait pas à rechercher ses quelques secondes de jouissance.

À la fin des courses, quand elle avait gagné, elle allait souvent en boîte. Elle y frottait sa peau à d'autres peaux. La boîte s'illuminait de feux multicolores. Au bout de six vodkas, le monde s'ouvrait en grand. Les murs fondaient, se dissipaient sur un ciel violet immense. Sarah vivait des étreintes fiévreuses et sans lendemain, à corps perdu.

Aujourd'hui, elle remarque les yeux immenses d'Alexandre, leur noir d'encre, les lèvres très précisément dessinées. De nouveau, elle est assaillie par deux émotions simultanées : un sursaut d'humiliation et une poussée de désir. Elle s'interroge pour savoir si ces deux sensations ont un lien secret. L'accident a placé son corps, et visiblement celui des autres, au centre de ses préoccupations. Alors qu'elle voudrait l'oublier, il se rappelle sans cesse à elle. Elle a cherché à le museler, il revient, autonome et omnipotent, régnant sur sa vie en maître tyrannique. Il apparaît sous forme de douleurs aux jambes, au dos, au ventre, sous forme de constipation, d'alopécie et maintenant de désir sexuel. Le plus terrible, ce sont les crampes aux jambes qui la saisissent la nuit et qu'elle ne peut enrayer puisque, pour cela, il faudrait pouvoir se redresser et marcher un peu.

Même son appétit est décuplé. Au début, elle en a accusé l'ennui. Mais il n'y a pas que ça. L'émergence incongrue et incontrôlée de son intérieur fragile, immobile et blessé, l'indispose, en même temps qu'elle la trouble.

Brusquement, Alexandre plante ses yeux dans les siens.

— Vous allez comment ?

Sarah hésite, répond :

— Ça va.

Alexandre Ladoux hoche la tête.

— Si vous voulez guérir, il va falloir réapprendre à vous aimer.

Puis, il la soutient pour l'allonger sur le lit. Il lui jette un regard insistant. Mais sa voix douce contredit la lueur étrange de ses yeux.

— Vous allez avoir besoin de compassion envers vous-même.

Il s'agenouille sur le sol et commence à enserrer les pieds de Sarah dans ses mains. Il examine les articulations. Il les palpe, les serre, les malaxe. Alors que la manche de sa blouse se relève, Sarah aperçoit le tatouage sur son avant-bras. C'est une rose des vents ancienne, utilisée par les marins dans l'Antiquité pour retrouver leur chemin en mer, et dont elle n'a vu la première fois qu'un des points cardinaux.

Espoirs

Après le départ d'Alexandre, Sarah se redresse, parvient à s'asseoir et, maniant la télécommande pour faire descendre le lit le plus bas possible, glisse dans son fauteuil. C'est une de ses dernières victoires. Désormais, grâce à la force de ses bras et de ses abdominaux, elle peut se soulever entièrement et se déplacer sans aide dans tous les lieux conçus pour un fauteuil roulant. Ces progrès, elle les doit à l'assiduité du kiné, Luc Ferrier, qui jour après jour s'acharne sur son corps. Le tord, le masse, le rafistole.

Elle enfile une robe qu'elle passe par la tête et dont elle tire l'ourlet sur ses cuisses. Depuis l'accident, se préparer est devenu une épreuve lente et complexe. Elle a beau se dépêcher, ses gestes doivent paraître d'une infinie lenteur aux yeux d'un étranger.

Il est dix heures trente quand elle a terminé. Elle a manqué la séance de méditation du docteur Lune. Normalement, c'est le moment que choisit Clémence pour aller récupérer son matériel de peinture. Elle n'arrive pas. Mais Sarah ne s'inquiète pas, son amie a dû filer vers le plateau technique pour commencer sa fresque.

Sarah roule sans peine jusqu'à la fenêtre. Là, elle doit effectuer une manœuvre plus complexe car, du troisième étage, elle a une vue panoramique sur les cimes mais une partie du parc reste dans un angle mort. Elle essaie de forcer pour se redresser un peu. De ce qu'elle voit, le mur du plateau technique est toujours triste et nu. Aucune trace de Clémence là-bas.

Elle descend et roule jusqu'au bâtiment. En chemin, elle croise le docteur Lune. Une expression étrange se peint sur son visage lorsqu'il la voit. Il la salue froidement et poursuit sa route. Il doit bouder parce qu'elle a séché la séance de dix heures. Sarah ne l'imaginait pas si susceptible.

Devant le plateau technique, elle rejoint le Fou, qui prend le soleil devant la porte. Il fait une chaleur bien au-dessus des normales saisonnières.

Le Fou saisit son avant-bras.

— Cette nuit, la bête s'est jetée sur sa proie. Il va la dépecer. Prenez garde. Il y a toujours un moment où on doit choisir si on est le loup ou l'agneau.

Sarah lui sourit avec douceur. Elle s'est habituée à ne plus tenir compte des prophéties de Cassandre.

*

Sarah ouvre seule la porte du plateau technique. Se glisse à l'intérieur et roule jusqu'à la salle derrière laquelle Luc Ferrier l'attend.

— Asseyez-vous.

Au prix d'un effort de volonté, Sarah s'extrait du fauteuil et glisse vers le lit de kinésithérapie.

Luc Ferrier parcourt son dos, sa colonne. Il glisse ses deux mains le long de ses épaules. Il lui tend des haltères en fonte, avec revêtement PVC antidérapant. Elles font cinq kilos chacune ; d'habitude, il lui donne celles de trois.

— Alexandre Ladoux m'a dit que vous vouliez remarcher. Si vous voulez faire de vrais progrès, il va falloir passer à la vitesse supérieure. Vous faites du volley, c'est bien mais c'est insuffisant.

— Mais j'en fais six heures par semaine !

— Mais c'est six heures par jour qu'il faut faire ! La muscu, c'est pareil. Faut vous entraîner deux heures par jour minimum. Franchement, vous avez quoi de mieux à faire ?

Les muscles de ses bras commencent à lui faire mal. Elle veut arrêter mais il l'incite à continuer.

— Vous voulez remarcher un jour ? Alors on y va !

Elle persévère. Un muscle de ses avant-bras, dont elle sait maintenant qu'il se nomme le premier radial, la fait tant souffrir qu'elle ne le sent plus. Elle s'arrête. Luc Ferrier attrape son poignet et la pousse à poursuivre.

— Encore ! Encore ! Vous allez y arriver !

Lorsqu'il sent qu'elle est à bout, il reprend les haltères. Il l'allonge et commence à la masser. Ses gestes sont précis. Ni sensuels, ni brutaux. Juste techniques.

Pour la première fois, il a décidé de la faire sortir

de son fauteuil pour la maintenir à l'horizontale, sur un tapis bordé par deux rampes. Tout son poids repose sur ses bras. Mais, déterminée à retrouver de l'autonomie, Sarah tente de tenir sur ses jambes. Luc Ferrier lui a fait faire des exercices musculaires, déjà, mais elle préjuge grandement de ses forces. Elle tombe au sol comme une poupée de chiffon. Le kiné se précipite.

— Mais qu'est-ce qui vous prend, Sarah ? Vous ne pouvez pas vous lancer comme ça, sans filet !

Il se penche et lui tend la main. Il se sent coupable, il a essayé de la provoquer tout en n'étant pas assez vigilant. Jamais il n'a songé qu'elle allait purement et simplement lâcher la rampe.

Il observe son corps là où elle est tombée.

— Vous allez avoir un bleu.

Malgré elle, Sarah sent une larme rouler sur sa joue. Elle ne comprend pas, la douleur n'a pourtant pas été si terrible. Toujours ce corps trop présent, occupant tout l'espace. L'altitude y est peut-être pour quelque chose. De la même façon que l'air est plus pénétrant, que le soleil tape plus fort, les émotions y sont exacerbées.

Le masseur-kinésithérapeute n'est pas troublé par les pleurs de Sarah. Pas plus qu'il n'a de geste de consolation. Et, si ces paroles sont destinées à la rassurer, il les prononce sans compassion :

— Je ne vous promets rien, mais c'est possible. Il faut être patiente. Et si vous ne remarchez plus, je vous rendrai le plus autonome possible. On peut vivre en fauteuil, vous savez.

Sarah sanglote. Quelque chose dans son ventre

ou dans sa poitrine lâche. Les larmes dévalent sur ses joues.

Il penche son visage vers elle, il va la prendre dans ses bras, la bercer.

Au lieu de l'étreindre, il la relève. Et il lui dit :

— La séance est terminée. À demain.

Premiers sangs

Sarah retourne dans la chambre vers midi. Cette fois, l'absence de Clémence lui saute au visage.

Sarah roule autour de la chambre. Elle ouvre le tiroir de la commode dans laquelle Clémence range ses affaires. Ses quelques effets personnels ont disparu, ainsi que sa valise. Dans la salle de bains, il n'y a plus sa brosse à dents ni sa crème hydratante.

Mais son matériel de peinture est là. Ses palettes, ses couleurs, son carnet de croquis, les trois toiles vierges qui lui restent.

Sarah fouille les tiroirs de sa table de nuit. Elle retrouve un livre, *Alice au pays des merveilles*, elle l'ouvre avec fébrilité : Clémence n'en a jamais lu une ligne ; par contre, Sarah sait qu'elle y a glissé une photo de Mathieu.

Elle secoue les pages. Une feuille s'en échappe. Avec difficulté, elle se penche pour la ramasser, elle doit s'y reprendre à plusieurs fois. C'est la photo. On y voit le petit Mathieu sourire à sa mère qui, hors champ, prend le cliché. Derrière lui, l'océan paraît noir, le ciel bleu pâle strié de nuages précis.

Mathieu porte son ciré jaune et, malgré le soleil, ses cheveux sont balayés par le vent.

Tout s'assemble : un départ précipité, que rien ne peut justifier; la photo de son fils, que jamais Clémence n'aurait oublié d'emporter; le sommeil pesant de Sarah, peuplé de cauchemars. Elle se sent vaseuse, écrasée par la fatigue. On lui a fait avaler à son insu une dose de somnifères. On l'a droguée. Et Clémence a disparu.

Sarah fait défiler le film des dernières heures. La neutralité de Luc Ferrier, la colère d'Alexandre, l'agacement du docteur Lune. Elle repense aux étranges paroles du Fou.

S'il existe bien un loup, dans cette bergerie des cimes où les brebis sont les créatures les plus fragiles et les plus impuissantes qui soient, il convient de rester prudente. Avec son fauteuil, elle constitue une proie aisée. Elle voudrait éviter les pièges mais pressent qu'au fond elle ne peut que perdre, quoi qu'elle tente de faire.

Au déjeuner, elle descend au réfectoire pour interroger les autres patients. Peut-être ont-ils vu quelque chose. Elle va s'asseoir à la table de Louane, avec Samir, Jordan et deux patients qu'elle connaît de vue.

— Quelqu'un a vu Clémence? Elle n'est plus là. Ses affaires ont disparu.

Jordan hausse les épaules.

— Demande au docteur Lune, il saura. C'est lui qui consigne les départs et les arrivées. Tu peux aussi aller voir Ladoux. En général, il conduit à la gare tous ceux qui partent d'ici.

Sarah est frappée par son conseil pragmatique.

— Mais s'ils y sont pour quelque chose?

Elle sent que les pensionnaires se regardent. Ils ne comprennent pas où elle veut en venir. Louane finit pourtant par réagir :

— C'est la chambre! Je te l'ai dit : c'est cette chambre 34. Elle porte la poisse.

— Mais tu m'as parlé toi-même de filles qui disparaissaient!

— Qui? La fille qui s'est tuée?

— Non, l'autre.

Elle se tourne vers Samir, désespérée par les réactions.

— C'est toi qui en as parlé. « Isabelle », tu as dit!

— Ah oui, acquiesce Samir. Isabelle Lefort. Elle s'est volatilisée mais on sait avec qui.

Sarah attend avec avidité. Elle se sent sur le point d'exploser. Samir prend son temps.

— Le docteur Lune… Tu aurais vu comme ils se dévoraient des yeux. Surtout lui.

Sarah revoit le médecin en train d'examiner les peintures sur la peau de Clémence.

— En même temps, c'est pas une prison, ici, remarque Jordan. Tout le monde est libre de se tirer quand il veut.

Sarah reste désarçonnée par son point de vue. Le départ volontaire, qu'il évoque avec un tel naturel, ne lui est pas venu à l'esprit. Elle y songe avant de se ressaisir.

— Elle m'aurait prévenue.

— Peut-être que ça lui a pris comme ça, dit Jordan. Son fils, il lui a rendu visite il y a quelques jours, pas vrai ? Elle a dû aller le rejoindre.

— Moi, dit Louane, je crois qu'on la retrouvera jamais. C'est souvent comme ça. Des gens qui vont chercher des clopes, et tu les revois plus.

— Arrête de te faire des films, Sarah, elle est rentrée chez elle. Point barre, conclut Jordan.

— Comme Dupont de Ligonnès, dit Samir, le mec se carapate et personne sait où il peut se trouver. Une chose sûre : les cadavres de sa famille, eux, ils sont bien là. Coulés dans le béton !

— Mon oncle, poursuit Louane, il a fait ça. Il a dit qu'il allait chercher du pain. Et il est revenu quatre ans plus tard.

Sarah s'éloigne de leurs conversations désordonnées qui font écho au désordre de son esprit.

*

Après le repas, Sarah fait ses deux heures de volley avant de se rendre à son rendez-vous avec Nader Attar, le conseiller en orientation socio-professionnelle. Le petit homme, sec et sérieux, la considère derrière ses lunettes. Encore une fois, il lui rappelle son copilote. Pourtant, Paolo était débonnaire et souriant, l'inverse du conseiller.

Les formes géométriques du centre ont ici leur microcosme.

Sur le bureau en bois brillant, une plaque en verre, vierge de tout objet, lui sert de sous-main. Alignés au bord, un stylo, un encrier et un presse-papiers en cuivre. Devant lui, un paquet de feuilles vierges dont aucune ne dépasse.

Nader Attar fait des annotations en faisant crisser sa plume. Il note la date, le nom de Sarah et trace un trait à la règle sous lequel il inscrit : « Notes ».

— Bien, mademoiselle Lemire, où en est-on de nos projets ?

— Marcher. Reprendre le volant.

Nader Attar relève les yeux. Il fronce les sourcils.

— Je suppose qu'il s'agit d'une facétie. Car vous allez devoir évidemment renoncer à la course automobile. Mais j'imagine que vous le savez déjà.

— Tout le monde n'est pas de votre avis.

— Je crains que si. Nous avons évoqué votre cas lors de notre réunion hebdomadaire. Et les collègues étaient unanimes.

— Pas Luc Ferrier. Et c'est le mieux placé pour le savoir.

Cette fois, le conseiller est surpris.

— Vous avez dû mal comprendre. Il n'a jamais dit ça. Je suis presque certain qu'il a dit l'inverse lundi.

Sarah ne l'écoute plus. Elle reste sidérée par sa réflexion. Si le kinésithérapeute lui ment, quel est son but ? Il ne risque pas de lui remonter le moral en la payant de mots.

— On va en profiter pour faire le tour de ce qui vous plaît, poursuit Attar, mais aussi des opportunités d'emploi actuelles. Considérez cet aléa de la vie comme une chance. Une possibilité d'avoir une deuxième vie complètement différente, à laquelle vous n'auriez pas pensé. Vous aimez les travaux de couture ?

Sarah bondit. En un instant, elle est debout devant le bureau. Elle tend le bras. Sa main entre en contact avec le visage du conseiller. Sa peau sèche, lisse. Elle saisit ses cheveux. Et, d'un coup, elle projette son visage contre le machin en verre de son bureau. On entend les os de son nez craquer, à moins que ce soit le sous-main. Sa tête minuscule s'affaisse. Sarah la soulève à nouveau, l'écrase contre le bureau. Le sous-main devient rouge. Elle fait disparaître en même temps que les traits de Nader Attar le remords et la peine qui la tenaillent depuis la mort de Paolo.

— Vous ne m'écoutez pas, mademoiselle. Et je ne peux pas vous aider malgré vous.

À mesure que la tache écarlate s'élargit dans l'imagination de Sarah, sa colère commence à refluer.

La grande nuit bleue

Quand Sarah remonte dans la chambre 34, l'absence de Clémence lui serre le cœur. Elle sort de son fauteuil et parvient à s'allonger. Son cœur bat trop fort. Elle écoute son souffle.

Un souffle intermittent, irrégulier, comme si elle mourait et renaissait à chaque instant. Perdue dans le noir, dans cette chambre dépouillée de tout, elle essaie de convoquer autour d'elle des objets familiers, les murs de sa chambre là-bas, à Paris. Peinture blanc crème – teinte sobre, propre. Rideau bleu, draps et couettes, jonc de mer. Quand elle y marche pieds nus, elle ressent un léger picotement désagréable. Ce léger malaise, aujourd'hui, paraît si désirable – ressentir sous ses pieds les fibres végétales, leur rugosité, leurs creux et leurs bosses.

Au mur, des photos de ses courses, de celles de son frère, de ses voitures. Elle a tellement aimé certaines bagnoles, avec lesquelles elle a partagé une intimité physique beaucoup plus absolue qu'avec les hommes.

Le précédent locataire a peint en jaune d'or les

bordures des fenêtres. Elle n'a pas cru bon de les repeindre, ayant d'autres préoccupations jusque-là que la décoration intérieure.

Sa table de nuit présente un fouillis de petits objets : élastiques noirs, bouchons d'oreilles sans lesquels elle ne peut pas dormir, malgré le calme absolu qui règne dans son appartement sous les toits. Des revues automobiles. Un carnet sur lequel elle note ses chronos ou le détail des parcours. Tel virage au kilomètre x de telle course.

Sa penderie blanche à portes coulissantes. Des vêtements et des chaussures confortables, destinés à entraver le moins possible les mouvements. Toujours les mêmes, jeans, pantalons noirs et tee-shirts, souvent achetés par lot de trois. Beaucoup de fringues données par les sponsors.

Une chaise jaune sur laquelle elle entasse les vêtements jusqu'à l'arrivée de la femme de ménage, deux fois par semaine. Une bibliothèque remplie de livres de bagnoles. Aucun roman, ou presque. Ses parents instituteurs n'ont pas réussi à lui donner le goût de la fiction. Ni le goût de la nature, eux qui ont toujours vécu dans le Loiret. Par contre, elle a acquis celui des voyages, grâce aux courses. Elle a sillonné la planète. Finlande, Grande-Bretagne, Grèce, Suède, Portugal, Argentine, Nouvelle-Zélande, Italie, Espagne, Australie, Côte d'Ivoire, Québec, Maroc, États-Unis, Pologne, Brésil. Avec son frère, ils devaient participer au Rallye d'Indonésie, en 2010. Cette course sur terre devait avoir lieu au milieu des plantations de caoutchoucs et de palmiers à huile mais, cette année-là, le championnat a été annulé. Les températures trop élevées, les pluies torrentielles et les boues extrêmement glissantes ont eu raison de l'événement. Nathan et elle ont résolu d'en profiter. Eux qui étaient des enfants de la campagne icaunaise, ils ont décidé de se faire à l'arrache, en sac à dos, le Vietnam, le Cambodge et la Thaïlande. Sarah a rapporté quelques livres du périple, en majorité des guides de voyage mais aussi quelques petits bouquins historiques.

Depuis leur petite enfance, Sarah et son frère ont filé dès qu'ils ont pu, ils ont quitté la maison sur n'importe quel engin à deux ou quatre roues qui leur tombait sous la main. Pourvu qu'ils prennent leur élan et aient la sensation de quitter terre pour voler, tout leur allait.

Ils parcouraient sans les voir les champs et les ruisseaux de leur enfance, les forêts de bouleaux et de hêtres. À peine rentraient-ils chez eux qu'ils ne parlaient que de repartir. Refermer la porte et s'élancer dehors, vers là-bas, le bout du chemin, le bout du monde, toujours plus vite.

Puis ils ont tout plaqué définitivement pour rejoindre le bitume et la compétition.

Ses parents n'ont jamais compris son goût pour la vitesse. Ils se sont mépris sur elle. Ils ont cru qu'elle cherchait par les rallyes à prendre une revanche sur son frère et, peut-être, sur les hommes en général. Ils ont cru qu'ils avaient donné trop d'importance aux performances sportives de Nathan et avaient, dans le même temps, oublié de valoriser des qualités plus féminines, plus immobiles.

Une erreur complète. Pour elle, ce qui était accessible à Nathan l'était à elle aussi. Cette donnée a fondé ses croyances et ses choix de vie.

Ce qu'elle désire dans la course, ce n'est pas surpasser les hommes : c'est la course elle-même. Ce qu'elle aime dans la vitesse, c'est la vitesse. Se projeter plus loin que l'adversaire, plus loin que sa propre voiture.

Le soir est tombé. Ses yeux s'habituant à l'obscurité, Sarah tente de résorber l'angoisse qui monte. Elle appelle à la rescousse ses rêves de Pikes Peak. Le paysage baigné dans le brouillard, non pas dû au froid mais à la poussière de la route soulevée par le vent. Elle serre son volant avec ses gants en cuir. Casque noir. Elle slalome entre les sapins bordant le parcours. Autour d'elle, à portée de regard, des montagnes grises zébrées de blanc. Mais les lacets sont si serrés qu'il faut rester fixée sur la route. Profiter de l'asphalte pour accélérer mais sans dévier. Le parcours est de dix-neuf kilomètres neuf. Cent cinquante-six virages. Un coup de volant en moins ou en trop et c'est la mort. La chute de centaines de mètres de haut. Près du sommet, le ravin atteint six cents mètres de hauteur sans barrières de protection, ou si peu.

Il fait chaud, ciel bleu et poussière ocre. La course commence à plus de deux mille huit cents mètres et se termine plus de mille quatre cents mètres plus haut.

Poursuivant en rêve sa « course vers les nuages », son ascension céleste, Sarah finit par repousser les murs, la chambre nue, le bâtiment bordé de montagnes noires, et par ne plus entendre son corps qui meurt à chaque inspiration.

Sarah garde les yeux ouverts. Elle essaie de convoquer les étoiles mais le mur reste là, pauvre et nu. Au bout d'une heure, elle ne dort pas. Et le mur se rapproche. Il pèse sur sa cage thoracique.

Elle aurait dû ralentir, elle aurait dû freiner avant de prendre le virage. Au pire, elle aurait fait un chrono supérieur à celui de Ralph Dichters. Elle aurait perdu l'étape, voire la course. Et Paolo lui aurait envoyé une bourrade et aurait lancé un truc comme : « Ce sera pour la prochaine fois ! »

Sept mille euros par manche remportée. Ses jambes ont un prix, maintenant : la dernière étape du rallye Monte-Carlo. Sept mille euros.

Ses jambes et la vie d'un homme.

Elle n'aurait jamais dû penser à Dichters. Il lui aurait suffi de freiner légèrement, d'épouser le virage, de poursuivre sa route. Au lieu de se fondre à la cime vert tendre des arbres, au lieu de quitter la route pour rejoindre l'arc-en-ciel jailli sur le pare-brise.

Sarah touche du doigt sa solitude. Elle en trace chaque contour.

Elle qui anticipait toujours l'étape suivante, voilà qu'elle regarde dans le rétroviseur. Elle revoit sa première voiture, garée devant la maison familiale, à Vannes-sur-Cosson. Le plus beau des cadeaux que son père lui ait jamais fait. Il a compris assez tard que Sarah comptait suivre le même parcours que Nathan. Il a d'abord remué ciel et terre pour la contraindre à abandonner. En embrassant cette vie itinérante, elle renoncerait d'après lui à toute vie familiale. On ne pouvait pas faire des rallyes et des enfants, il fallait choisir. Sarah se rebellait, elle demandait à son père pourquoi il ne menaçait pas Nathan du même sort. Il restait là, bras ballants, maugréant que ce n'était pas pareil : un homme pouvait faire des courses et avoir des gosses, si la mère menait une vie sédentaire. Sarah haussait les épaules et sortait en claquant la porte. Puis, Dieu sait pourquoi, le vieux avait rendu les armes. Il avait capitulé, en lui offrant sa première voiture. La liberté.

La bagnole faisait un boucan d'enfer. Sarah filait, fenêtres ouvertes, cheveux au vent, sans ceinture, sur les routes départementales. Elle traversait les champs, poussait jusqu'au parc régional de la Brenne. Les bords de l'eau.

Elle ne restait jamais longtemps à la campagne, elle a toujours aimé les voitures et l'anonymat. Ce qui l'intéressait n'était pas la dimension utilitaire de l'engin, mais le mouvement. Le vent dans les cheveux et sur son visage.

Quelle heure est-il ? Minuit peut-être.

Même si elle ne les voit pas, les murs de L'Herbe bleue l'oppressent. Ils s'immiscent jusque dans son esprit. Ils la coulent au béton armé. À son fauteuil. Clouée.

Elle revoit le parc, les bancs. Les autres pensionnaires avec leur histoire et leurs blessures. Les rumeurs. Et Clémence.

Sarah reste sur le dos, les bras croisés derrière la tête, les yeux ouverts sur d'autres mondes que le sien. La caméra s'est remise à tourner, elle pose son œil scintillant dans les pénombres de la chambre. Elle l'éclaire de son rayonnement imaginaire, rend habitable cette obscurité, lui offre une forme avec des angles et des courbes, une apparence secrète.

Perdue en elle-même, dans cette quasi-cellule, avec la caméra qui tourne, et ne la perd pas de vue. L'image de son père, presque effacée. Elle se rappelle la forme de son visage, la couleur de ses yeux, de ses cheveux – mais pas lui, lui dans son entier. L'ensemble lui échappe. Encore un petit effort et elle parviendra à le visualiser tout entier.

Quelle heure peut-il être maintenant ? Deux heures du matin ? Peut-être quatre ?

Sarah, qui se pressait toujours dans les rues, marchant vite sans se détourner de son objectif ni faire un pas de côté, fait au centre un apprentissage forcé de la patience. De l'immobilité.

À deux heures du matin, Sarah se lève. Elle enfile un tee-shirt et un jean, une paire de baskets. Puis elle ouvre la fenêtre. Elle enjambe la rambarde. Elle se glisse le long des canalisations et, quand elle est à moins d'un mètre, elle saute. L'herbe amortira sa chute. Mais elle tombe. Elle tombe. Une chute vertigineuse qui ne prend jamais fin.

Comme la veille, Sarah s'éveille en sueur. Une douleur intolérable dans les jambes. Elle est parcourue de crampes. Par réflexe, elle regarde le lit près d'elle. Toujours seule. Son père lui manque, et son frère, et leur maison. L'amour aussi. Pas de chair contre chair, pas d'objet pour mimer une présence.

Alors, seule dans la nuit, elle se touche. Elle soulève les draps pour qu'à travers les minces cloisons qui séparent les chambres on n'entende pas les frottements du tissu. Elle s'effleure du bout des doigts, elle chasse la solitude et la douleur physique. Juste un instant, elle oublie les murs, les psys, les kinés, le docteur Lune, elle repousse les cris, la folie, les sanglots.

Elle se caresse en pleurant comme on caresserait le visage d'un inconnu.

Sa respiration se fait plus forte. Il y a un moment où ses voisines entendront forcément son souffle, même étouffé, devenir rapide et rauque. Mais à cet instant, elle n'y pensera plus, elle aura rejoint en pensée un grand champ de fleurs, poussées dans le désert en une nuit, où des couples feront l'amour les uns à côté des autres.

Elle jouit sans bouger. Dans une parfaite immobilité.

Puis, une fois soulagée, elle tend le bras et saisit du savon antiseptique pour nettoyer ses mains sales.

Clémence Audiberti lui a ouvert les portes de la mémoire. Elle lui a rendu les images. Et voilà qu'elle l'abandonne ici, livrée de nouveau à l'amertume.

Sarah se caresse le front, suivant du doigt la démarcation entre la peau et le cuir chevelu, son front, son nez, sa bouche, ses joues. Elle se caresse comme on caresse une autre, comme si sa main appartenait à un inconnu, comme si elle s'était détachée de son corps, ses membres fractionnés en entités autonomes.

Elle se caresse pour se consoler, instinctivement. Pour se prouver qu'elle est toujours en vie. La première fois qu'elles se sont vues, Clémence l'a dessinée. Elle n'a pas représenté un monstre, mais une créature d'une beauté particulière, dont le fauteuil roulant prolongeait la chair. Un animal mythologique fabuleux.

Elle essaie de se persuader qu'il reste d'elle une entité inaliénable. Ses bras et ses jambes, ses joues, ses oreilles.

Au-delà du chagrin et des blessures, il reste son visage. Ses pensées.

Malgré l'accident, le centre et l'obscurité, elle existe toujours.

Les corps perdus

À six heures du matin, elle se redresse et se met en position assise. Elle zappe la toilette, pourtant essentielle à la « maintenance du véhicule ». On l'a prévenue : il faut prendre un soin presque excessif à se laver, surtout entre les jambes, sous les fesses notamment. Cette hygiène seule permet d'éviter les escarres.

Mais ce matin, elle n'a pas le temps. Elle grimpe sur son fauteuil et sort de la chambre. Elle traverse le couloir silencieux, appelle l'ascenseur. Elle sort. Elle observe les alentours.

Au loin, les bois forment des replis obscurs où s'égare l'imagination de Sarah. Des sapins bleus et noirs. En regardant le paysage, les forêts obscures et les bêtes sauvages de son enfance lui reviennent. Un monde englouti, qu'elle a cru oublié pour toujours. Ces souvenirs, Sarah les doit à sa grand-mère qui, dans sa jeunesse, l'a abreuvée de contes de fées. Combien de fois lui a-t-elle lu *Le Petit Chaperon rouge* ! Et sur quel ton ! Nichée au fond de ses draps, Sarah regardait frémir le chignon de la vieille dame, et ses yeux se plisser méchamment tandis que d'une voix chevrotante elle susurrait : « Mère grand, comme tu as de grandes oreilles !... C'est pour mieux t'entendre, mon enfant. » Et le chignon frémissait. « Comme tu as de grands yeux !... C'est pour mieux te voir, mon enfant », et les yeux de mamie se plissaient, se plissaient jusqu'à n'être plus que deux filets vert sombre. « Comme tu as de grandes dents ! », Sarah suspendait son souffle, le chignon avait cessé tout à fait de se balancer.

« C'est pour mieux te dévorer ! », et le loup prononçait des mots terribles, où il était question de lambeaux, de déchirures, de sang. Il prenait son élan, bondissait sur elle. Sarah se terrait sous les draps mais pouvait sentir les griffes contre sa chair. Après ces instants de terreur, elle reprenait son souffle pendant que fuyait le loup et que mamie réapparaissait : « Les hommes, ma petite, ils sont comme des loups. »

Dans ses lectures d'enfant, les petites filles, pourchassées, martyrisées, devaient se garder de tous : des loups, des ogres, de leurs sœurs, de leurs mères ou belles-mères. On ne savait trop à qui se fier, dans ces forêts, ces tours, où les prédateurs appartenaient souvent au cercle le plus proche.

Alors Sarah s'est mise à faire des cauchemars. Elle se réveillait au milieu de la nuit en criant. Elle ne parvenait plus à s'endormir. Elle disait que les loups étaient partout. Qu'ils se terraient sous son lit, derrière les portes. Parfois, elle disait qu'elle avait mangé le loup et qu'il se cachait maintenant à l'intérieur de son ventre.

Ces figures venaient hanter les nuits de Sarah, si bien qu'un jour, à bout de nerfs, son père avait fini par interdire à mamie de lui faire la lecture. « Tu vas lui pourrir l'esprit, à cette gosse ! Tu crois que ça ne lui suffit pas, d'avoir perdu sa mère ! » avait-il crié.

Mamie avait courbé l'échine. Elle avait respecté les ordres de son fils. Il n'avait plus été question de contes. Sarah avait fini par consigner ses souvenirs dans un tiroir de son esprit. Apparemment, elle avait trié, classé, puis oublié, et les cauchemars s'étaient envolés.

Son père lui avait rappelé un détail qui l'avait étonnée :

— Quand ta grand-mère te racontait ses histoires, tu voulais toujours entrer dans le livre pour sauver les gosses. Tu changeais l'histoire. Tu disais : « Et là j'entre et je lui dis de retourner chez lui. » Tu insistais tellement pour intervenir.

En un clin d'œil, sa part d'enfance dévore en elle la jeune adulte rationnelle qu'elle a été en bas. Les terreurs, les cauchemars de gosse refont surface. Et les bois sont des forêts, des lieux secrets et dangereux où les loups dévorent les enfants, où leurs parents les perdent à dessein, où les ombres les engloutissent.

Il fait un temps frais et radieux. L'herbe est couverte de rosée. Un instant, à travers la vitre d'une fenêtre du troisième étage, elle croit apercevoir quelqu'un, qui l'observe. Elle compte les fenêtres, en partant de la gauche. C'est bien leur chambre, la 34 ! C'est là qu'il y avait quelqu'un. Son imagination s'emballe à nouveau. Elle s'imagine le ravisseur en train de lessiver la pièce, faisant disparaître toute trace de son passage nocturne.

Elle ignore ce qu'elle doit chercher. Elle erre dans le centre, désert à cette heure du jour. Tout, plutôt que l'immobilité ; tout, plutôt que l'inaction. L'impuissance de Sarah est douloureuse : son immobilité physique et son impossibilité à accéder à un téléphone ne lui ont jamais autant pesé. Elle se dirige vers le parking. Cet espace de terre par lequel elle est arrivée au centre. Sans trop savoir ce qu'elle espère découvrir, elle balaie le sol du regard. Mais elle ne perçoit que des ombres, des pierres, des traces de pneus. Elle examine les barbelés qui séparent L'Herbe bleue des bois et, plus loin, des cimes bleutées. Le bois au loin forme des crêtes menaçantes. Elle se demande où se trouve Clémence à cette heure. En train de dormir dans son lit, près de son fils ? Égarée chez un inconnu ? Ou morte, peut-être.

Sarah sursaute. Il y a quelqu'un. Dans un coin du parc, se croyant seul, Samir détache sa prothèse et la nettoie. Sarah s'approche. Il lui sourit et reprend sa tâche. Doucement, comme une mère avec son enfant, il caresse son moignon, passe doucement sur l'épiderme blessé une crème qui emplit aussitôt les environs de son odeur florale.

Samir désigne la prothèse à Sarah.

— Tu sais comment elle s'appelle ? Triton ! Ça en jette, hein ? Avec ça, c'est comme si je devenais une espèce de dieu.

Samir a subi une amputation tibiale, à la suite d'un accident de moto. Avant l'accident, il vivait dans les quartiers nord de Marseille.

Sarah mesure le chemin parcouru depuis son arrivée, où elle aurait considéré cette vision comme terrifiante. Aujourd'hui, ces corps différents de la norme l'attendrissent, elle y voit une variété infinie de possibles.

Sarah roule dans le parc. Elle sursaute en croisant le docteur Lune qui, comme chaque jour, aspire l'air des montagnes avant de procéder à sa demi-heure de méditation de pleine conscience.

— Bonjour, mademoiselle Lemire, comment on va, ce matin ? dit-il d'une voix guillerette.

Sarah hésite. Que dire ? Elle prend un air soucieux mais calme.

— Eh bien, je suis étonnée, ma compagne de chambre a disparu la nuit dernière. Vous savez où elle est ?

Le docteur Lune se trouble. Puis, le chef de service des blessés médullaires reprend son air assuré.

— Je vais prendre mes renseignements. Il y a forcément une explication.

Pendant la séance de méditation, Sarah ne ferme pas les yeux ni ne rentre en elle-même pour se concentrer sur son souffle. Elle fixe le docteur Lune. Il paraît nerveux.

Souvent il ouvre les yeux et croise son regard. Il perd sa contenance, bute sur les mots :

— Rentrez en vous-mêmes. Ne vous jugez pas…

Il écourte sa séance de cinq minutes et s'éloigne à grands pas pressés.

Sarah ne le quitte pas des yeux tandis qu'il disparaît dans le bâtiment central. Elle a pu mal interpréter sa réaction d'hier. Peut-être ne s'agissait-il pas de rancœur mais juste de la peur panique qu'elle ne l'interroge sur Clémence et ne lise en lui son forfait. Lequel, d'ailleurs ? À force d'être condamnée à l'inertie, elle a développé son imagination. Elle n'a jamais été une adulte très rêveuse, bien au contraire. Une hyperactive. Toujours en mouvement. Elle n'a jamais pris le temps d'observer, encore moins celui d'affabuler.

Ici, en haut, elle a fait un apprentissage forcé de la contemplation. Elle sait maintenant les bleus des crêtes rocheuses, les verts de la forêt selon l'heure du jour. Même le printemps est différent entre avril et mai. La qualité de lumière, toujours éblouissante, a changé. Les brumes matinales ont définitivement disparu, laissant place à des tons roses irisés dès les premières lueurs de l'aube. Elle a appris à guetter les signes du monde extérieur et leurs infimes variations, en même temps qu'elle a développé ses facultés de réflexion.

En désespoir de cause, elle se surprend à vouloir interroger le Fou. Il dore toujours aux rayons du soleil. Les paupières closes, il semble mort. Mais quand Sarah s'approche de lui, même si les roues du fauteuil glissent sans bruit sur le chemin, il ouvre les yeux avant qu'elle l'interpelle. Ils restent un moment sans parler. Sarah finit par briser le silence :

— J'ai besoin de votre aide. Vous m'avez parlé d'agneau et de loup, hier. Je voudrais savoir quelque chose. Le loup, c'est qui ?

Le Fou hoche la tête.

— La montagne, mon enfant.

Sarah regarde les cimes qui les entourent. Elle se surprend à les considérer comme des bouches d'ombre prêtes à l'avaler.

Puis le Fou ajoute :

— Le secret est derrière la porte.

En pièces détachées

— Vous avez une rougeur, là. Un début d'escarre.

Alexandre Ladoux scrute chaque centimètre d'elle. Ses mots tombent comme des couperets. Très contrarié, il semble tenir cette lésion pour une provocation délibérée envers lui. Sarah est étrangement déstabilisée par son agressivité.

Il fait jouer ses cartilages, en apprécie le bruit, l'élasticité. Il observe ses cuisses. Ce n'est pas une intimité partagée, voulue, heureuse, c'est une intimité forcée, non réciproque. Si elle peut sentir son odeur, entrer en contact avec lui ou apercevoir un morceau de son tatouage, pour le reste elle est juste une marionnette entre les mains de l'aide-soignant.

Il l'a fait asseoir et se tient derrière elle. Il appuie sur son dos pour la contraindre à se redresser. Soudain, sa paume s'arrête sur sa cicatrice. Les douze points de suture dus au morceau de pare-brise lorsqu'il l'a traversée.

S'agit-il d'une illusion, du fruit de son imagination, ses doigts ne se contentent plus d'examiner l'état de son épiderme. Ils le caressent. Ses mains s'attardent sur elle. Un étrange silence envahit la pièce. Il effleure chaque creux et chaque bosse due à la cicatrisation. Et si sa voix est impérieuse et dure, le contact de ses doigts est empreint de douceur.

Elle a beau échafauder les hypothèses, elle ne comprend pas. À moins d'un pervers pour qui les blessures sont autant de fentes ouvertes sur des pénétrations inédites, personne ne peut la trouver attirante. Sa peau gondolée par le choc, les sutures sur son bras, ses jambes. Dedans, les broches, les pieux, les rustines pour assembler ce que l'accident a irrémédiablement disjoint. Qui pourrait toucher sans dégoût son corps brisé ?

— Lundi, pendant la réunion de groupe, Nader Attar a parlé de vous. Il dit que vous n'avez toujours pas de projet pour votre réinsertion. Que vous avez refusé la formation en informatique. C'est vrai ? insiste Alexandre Ladoux.

Elle réfléchit. Rien ne vaut la satisfaction immédiate conférée par la vitesse. Grimper dans sa bagnole et la sentir réagir sous son pied. S'enfoncer dans le cuir, en regardant au loin un point abstrait, celui de la victoire. Aujourd'hui, contrainte à l'immobilité, ses rêves n'ont pas changé.

— Comment vous voulez que j'accepte sa proposition à la con ? répond-elle. Je suis coureuse automobile. J'ai jamais pu m'asseoir sur une chaise et rester en place plus de cinq minutes. Ma mère m'a même emmenée chez le toubib, petite : il m'a diagnostiquée comme hyperactive.

— Je comprends, mais Nader a raison : il va falloir faire le deuil des rallyes. Trouver autre chose.

Je sais que c'est dur mais ça fait partie de la réadaptation. Qu'est-ce qui vous intéresse, à part les voitures ?

— Rien. Et vous, qu'est-ce qui vous intéresse ?

Alexandre réfléchit un moment.

— Moi, j'aime les sports de haute montagne. Marcher en altitude, au milieu des nuages. On a les poumons qui brûlent. La tête qui tourne. L'impression de se consumer.

Il raconte à Sarah sa première randonnée, des années plus tôt. C'était un hiver brutal, interminable, qui avait couvert de neige et de glace les sommets, les forêts et les plaines. Le monde entier paraissait baigné d'un halo.

Puis, brusquement, il ajoute :

— Et j'aime aider les gens à s'accepter à nouveau.

— Je croyais que votre boulot, c'était de les réparer.

— Non. Je les lave, je les examine, je les aide à s'allonger ou se relever. Je m'occupe de ce qu'ils ont, je n'essaie pas de les réparer, comme vous dites. Je les prends comme ils sont.

Alexandre se redresse avec brusquerie, comme s'il regrettait d'en avoir trop dit.

— Allez-y, il est plus de dix heures. Vous êtes en retard.

Alors qu'il s'éloigne, elle lance :

— Mon projet, c'est de marcher à nouveau et de retourner en bas. De grimper dans une voiture et de continuer les rallyes.

Alexandre se retourne, toujours contrarié.

— Si c'est votre unique projet, il va falloir vous en donner les moyens !

Elle regarde son bras, là où il l'a caressée. Sa cicatrice est rouge et brûlante.

La porte noire

Mme Cortazar relève vers Sarah son petit visage de serpent.

— Tiens, mademoiselle Lemire, ça fait longtemps.

Sarah vient se poster en face d'elle. Elle reste coite un moment. La psy aussi. C'est son truc, elle doit avoir l'impression que la gêne de ses patients a des vertus thérapeutiques. À moins qu'elle soit un peu sadique.

— Alors, quoi de nouveau ?

— Clémence, ma voisine de chambre, a disparu.

Elle a lancé ça comme ça, pour voir. Tester la réaction de la psychologue. Mais elle n'en a pas. Elle reste impassible, relance avec circonspection :

— Qu'est-ce que ça vous a fait ? Vous lui en voulez ?

Cette fois, Sarah perd son calme. Elle qui a toujours réussi à garder le contrôle sort de ses gonds :

— Et vous, ça vous fait quoi de savoir qu'une femme a disparu dans votre centre sans que personne s'en soucie ? Ça vous fait quoi de participer à ce monde où on choisit comme proies les femmes les plus faibles, les plus fragiles qui soient ?

Cortazar ôte ses lunettes. Elle essuie délicatement les verres avec un petit chiffon jaune. Elle prend son temps.

— Vous, on dirait que ça vous met en colère, finit-elle par dire. Est-ce que vous êtes en colère parce que votre scénario implique une femme ou parce qu'il implique une malade ?

— Mais ce n'est pas un scénario, je n'invente pas. Vous avez discuté avec Clémence Audiberti, vous devez savoir qu'elle ne comptait pas quitter le centre.

— Je suis tenue au secret. Mais si j'étais vous, je n'en serais pas si sûre. Mme Audiberti m'a beaucoup parlé de son fils, il lui manquait terriblement.

— Justement ! Il est venu la voir la veille de son départ.

— Peut-être aura-t-elle trouvé la vie sans lui d'autant plus insupportable. Et vous, Sarah, j'imagine que vous aussi, il y a des êtres chers qui vous manquent ? Le départ de Clémence a-t-il réveillé en vous ces absents ? Est-ce pour cela que vous êtes si agitée ?

Sarah se revoit avec son frère, quand ils jouaient dans le bois à être des aventuriers. Ils piquaient un cran d'arrêt et un couteau de survie et ils se tiraient. Ils s'enfonçaient dans la forêt. Parfois ils se baignaient dans un lac et, de l'eau jusqu'aux cuisses, ils essayaient d'attraper des poissons à la main. Ils l'avaient vu faire dans une série télé. Comme ils n'y arrivaient jamais, ils finissaient par se baigner. Ils revenaient sur la rive, remettaient leurs vêtements et faisaient un feu. Ça, ils savaient le faire n'importe où, par n'importe quel temps, même par grand vent.

Ils s'asseyaient, serrés l'un contre l'autre, tendant leurs mains gelées aux flammes.

Ils se racontaient des histoires.

Quand ils avaient huit ou neuf ans :

— On serait des pauvres et nos parents nous auraient abandonnés dans la forêt…

Plus tard, vers douze-treize ans :

— Si on se tirait vraiment ? Franchement, pourquoi pas ?

— Et papa ?

Son frère s'énervait, il était un peu jaloux.

— Quoi, papa ? Non, on se tire d'ici. On prend une caisse et hop !

À seize ans :

— Allez, viens, Sarah, on se barre. On va vite, loin. Franchement on va pas crever ici !

Sarah secouait la tête : non, ils n'allaient pas crever ici. Elle faisait semblant de le croire, promettait qu'ils allaient partir loin, en ville. Anonymes. À l'heure actuelle, Nathan est à l'autre bout du monde, à Melbourne, au Grand Prix d'Australie. Elle l'imagine au volant de sa Ferrari SF16-H avec son nez court et ses suspensions à poussoirs traditionnelles. Lui, là-bas, rapide comme le vent ; elle, ici, pétrifiée comme une statue de cire.

L'absence de Nathan crée un manque si profond qu'il lui brûle l'estomac.

Et celle de son père est pire encore. Il n'est pas encore venu.

— Est-ce que vous avez quelque chose ou quelqu'un, dans votre vie, qui ne vous met pas en colère ? Quelque chose ou quelqu'un qui suscite en vous des sentiments positifs ? interroge Cortazar.

Quand Alexandre Ladoux, l'aide-soignant, a posé les mains sur elle, Sarah s'est sentie exister à nouveau. Elle s'est remise à vivre. Son tatouage, ses yeux noirs l'aimantent malgré elle.

— Non. Rien. Ni personne.

La psy lui sourit, elle dit :

— Ce sera tout pour aujourd'hui.

En sortant, Sarah ne quitte pas le couloir. Elle reste au niveau – 1. Puis elle roule pour regagner l'ascenseur. Elle distingue un bruit sourd. Une plainte, provenant du bureau du docteur Lune ; la voix est celle d'une femme. Elle pleure presque sans bruit mais ce sont, à n'en pas douter, des sanglots. Tout doucement, Sarah glisse jusqu'à la porte. Elle est entrouverte. Elle la pousse délicatement de la main et colle son œil dans l'embrasure.

Elle ne surprend aucune scène de violence impliquant Clémence. Juste un corps difforme et diabolique, unissant dans un désordre de chairs en sueur Deborah Ndaye et le docteur Lune.

Elle fait reculer son fauteuil. Malgré elle, elle se tourne et regarde la porte noire, la porte des Enfers comme l'a dit Alexandre, ne menant nulle part, n'ouvrant sur rien. « Le secret est derrière la porte », a prophétisé Cassandre.

Pour franchir la porte noire, il faut un badge. Elle passe en revue le moindre détail, la plus petite entaille. Elle croit entrevoir une trace de peinture rouge mais ce pourrait aussi bien être son imagination, ou sa peur, qui lui joue des tours car l'éclairage est très mauvais et fausse la palette des couleurs.

— Qu'est-ce que vous faites là, toute seule ?

Elle sursaute. Se retourne.

Paolo, son copilote, la considère avec étonnement et, croit-elle lire sur son visage, une pointe de rancœur. Le mirage s'estompe. Nader Attar remplace Paolo.

Le responsable de la réinsertion socio-professionnelle est un homme sévère, dénué de la plus petite trace de sens de l'humour. Lors de sa dernière visite dans son bureau, Sarah a pu constater combien l'homme était pointilleux jusqu'à la maniaquerie.

— Qu'est-ce qu'il y a derrière cette porte ? demande Sarah.

Peu habitué à être interpellé de la sorte, Attar a un sursaut de colère. Il fronce les sourcils.

— Le docteur Debonneuil en interdit l'accès au personnel, si vous voulez tout savoir.

— Pour quelle raison ?

— L'amiante, je crois. Pourquoi n'allez-vous pas le lui demander directement ? Il vous expliquera ça mieux que moi.

— Il est occupé.

Sarah se tait. Les sanglots deviennent plus audibles. Nader Attar se trouble.

— Moi-même, j'ai beaucoup de travail. À plus tard, mademoiselle Lemire.

Il s'éloigne. Sarah le rappelle :

— Monsieur ! Monsieur !

Il se retourne et observe la jeune femme en fauteuil.

— Oui ?

Il revient sur ses pas. Sarah réfléchit très vite. Elle sait une chose : il ne doit pas quitter les lieux sans être entré dans la pièce derrière la porte.

— Tout à l'heure, j'ai cru entendre du bruit. Ça venait de là-bas.

— Du bruit ? Mais n'était-ce pas… enfin…

Trop gêné pour poursuivre, il jette un regard en direction de la porte entrouverte qui désormais ne laisse plus filtrer aucun bruit.

— Non, c'était autre chose. Des cris. Comme s'il y avait des rats.

Attar observe attentivement Sarah.

— Bon… On vérifiera tout ça.

À cet instant, le docteur Lune sort de son bureau, il a entendu leurs voix. Il contemple Sarah puis Nader Attar sans comprendre.

Il ne porte aucune trace de désordre ni dans ses vêtements ni sur le visage. Propre et net, il les observe avec sévérité.

— Docteur, dit Nader Attar en perdant toute contenance, Mlle Lemire a entendu des rats derrière cette porte. On devrait peut-être vérifier.

— Des rats ? Mais c'est ridicule, ils seraient entrés par où ? Cette porte est condamnée. Personne n'entre jamais.

Sarah hésite à insister. Dans son fauteuil, elle leur arrive à la taille. Jamais elle ne s'est sentie si fragile.

Deborah sort du bureau à son tour. Contrairement au docteur Lune, elle a les cheveux emmêlés et sa chemise est mal boutonnée. Une gêne s'installe, que le docteur Lune rompt en se dirigeant d'un pas décidé vers la porte. Il presse un badge sur un petit rectangle électronique.

— Avant de savoir que les lieux étaient amiantés, je m'en servais parfois pour déposer d'importantes sommes en liquide. Pour les dépenses courantes.

Tandis que Deborah s'éloigne à pas rapides vers les étages du bâtiment, les trois autres entrent. Sarah retient son souffle. Le docteur Lune allume le plafonnier. Éclairant une pièce d'environ quinze mètres carrés. Un débarras. Deux tables en bois sont alignées l'une près de l'autre. Elles sont recouvertes de nappes en plastique, vichy blanc et rouge.

Et dessus, sont entassés des masses de cartons fermés au ruban d'emballage marron.

— On s'en sert de débarras.

Sarah essaie de photographier mentalement les lieux. Quelque chose cloche mais elle ignore quoi. Des murs en crépi. Un parquet en bois clair, recouvert d'un tapis. Étrange de protéger comme Fort Knox une pièce remplie de vieux cartons. Sarah tente de rassembler ses pensées. Elle se concentre.

Ferme les yeux. Revoit la pièce. La sensation de fausse note persiste.

Puis, elle finit par comprendre. Le crépi crasseux, les cartons entassés. Le tapis immaculé, sans un grain de poussière. L'odeur de détergent. Quelqu'un a tout récemment nettoyé le sol mais n'a pas pris la peine de frotter les murs. Quelle odeur a-t-on voulu couvrir ? Et quelles traces ont-elles été effacées du parquet ?

En tout cas, le tapis vient d'être acheté ou du moins il est utilisé pour la première fois.

Quelqu'un a dû nettoyer les lieux après son passage. Il n'y a pas d'amiante, ou autant que dans n'importe lequel des bureaux de l'aile administrative.

Mais comment entrer de nouveau ?

Les regards

Depuis la disparition de Clémence, deux jours plus tôt, Sarah réfléchit. Elle veut agir. Son existence est concentrée sur cet objectif : comprendre, sauver son amie si elle vit toujours. Sauver ses peintures qui lui ont ouvert tant de brèches dans le centre, qui ont tracé de si nombreux points de fuite.

En la faisant disparaître, son ravisseur a coupé toutes les portes de sortie, verrouillé toutes les issues, fussent-elles imaginaires, du centre fermé.

Il y a autre chose : Sarah a grandi dans un monde où, de sa grand-mère à son père, on a toujours résisté. Les vieux de sa famille, côté maternel, ont ravitaillé le maquis, ils ont fourni des armes, ils ont survécu à la tonte, à l'opprobre. Son père a aussi refusé tout compromis. Avec les patrons, avec les lois. Il disait que la résistance est belle et que les moutons font le lit des dictateurs et la lie de l'humanité. Il disait qu'il aimait la France parce que les gens n'arrêtent pas de gueuler. « Moi, j'aime les emmerdeurs, disait son père. Je les adore, même. Parce que je sais qu'ils se battront pour ma liberté. »

Il disait aussi qu'un mauvais patron, comme un mauvais chef d'État, mène le reste de la population au marasme et qu'on a donc le devoir, l'absolue nécessité, de lui trancher la tête.

Pour une fois, la direction des regards s'inverse. Sarah passe la journée à guetter les faits et gestes du personnel soignant. Elle a décidé d'ouvrir à nouveau la porte des Enfers, de soulever le tapis pour voir ce qu'il dissimule. Pour cela, il lui faut un badge. Elle a jeté son dévolu sur le masseur-kinésithérapeute, Luc Ferrier. C'est le sien qu'elle va essayer de voler. Toute à son but, elle se rend à la balnéothérapie pendant une séance de groupe. Le kiné est en maillot de bain, dans l'eau, avec cinq ou six patients. Son ventre rond, sa peau blafarde. Il regarde les corps autour de lui avec attention.

— Allez, bougez-moi cette rotule. Bougez-moi cette rotule. On a le fémur paresseux, aujourd'hui, madame Cohen ?

En l'observant, Sarah s'aperçoit que le kinésithérapeute est encore un jeune homme. Il est attentif et attentionné envers les patients du centre, quoique son visage se ferme parfois sous l'effet de la concentration. Dans ces moments, il délaisse le malade pour se focaliser sur une de ses parties. Et seul cet organe, ce membre ou cette articulation lui importe.

— Satané coude, hein ? Vas-y, paresseux, un peu de souplesse !

Il propose à Louane de poursuivre les exercices de musculation sous l'eau. Elle accepte. Luc Ferrier paraît stupéfait.

— Vous êtes d'accord ? Non, pincez-moi, je rêve.

Sarah fait semblant de chercher quelque chose, sur le bord, mais elle garde dans sa ligne de mire la poche de blouse dans laquelle Luc Ferrier a fourré son badge.

Le kiné s'efforce d'aider Louane à lever la jambe gauche, quarante mouvements vers l'avant, quarante mouvements vers la gauche. Louane grimace.

Luc Ferrier encourage ses membres inférieurs.

— Allez, le grand adducteur, du nerf, mon brave !

Mais Louane s'amuse à le faire tourner en bourrique. Elle avance, recule, s'arrête. Elle feint d'être épuisée avant d'exiger de refaire une série de cent. Elle glisse dans l'eau, part à la renverse, boit la tasse et tousse en crachant au visage de Ferrier. Le kiné reste stoïque. Il lui demande si elle va mieux. Louane sourit.

— Un peu.

— Continue, il faut me muscler tes biceps fémoraux. Ils ne valent rien.

Dans une poche intérieure, Sarah finit par trouver le badge. Elle le glisse dans son maillot de bain.

En début d'après-midi, le docteur Lune fonce droit sur Sarah. Cette fois, son côté terrestre l'emporte. On ne voit de lui que ses jambes lourdes, grossièrement plantées dans l'herbe, et son expression contrariée.

— J'ai eu des nouvelles. On a appelé chez elle et sa mère a confirmé son arrivée. Elle n'a pas supporté d'être séparée de son fils.

Le centre se trouvant en zone blanche, impossible

de vérifier, ni d'appeler sans passer par le bureau du docteur Lune. Évidemment, il laisse la possibilité à tous d'appeler leurs proches, mais comment leur parler sans éveiller ses soupçons ? De la même façon, une salle du bâtiment administratif permet de se connecter au réseau. Mais quelqu'un a forcément accès aux mails. Comment être certaine qu'à l'instar des brebis et des jeunes filles des histoires, elle ne va pas aller directement se jeter dans la gueule du loup ?

*

À la tombée de la nuit, elle crève de trouille dans son lit. Désormais, elle se retrouve seule dans la chambre qu'elle partageait avec Clémence il y a seulement deux jours. Si Sarah a savouré ses premières heures de solitude, elle s'est vite sentie oppressée à la vue des draps lisses et de la couette bien tirée sur les côtés. L'absence de Clémence a creusé un trou dans sa poitrine. Ce trou va s'approfondissant, à mesure que Sarah imagine ce que le ravisseur a fait de ses proies. Elle pleure en regardant le « tableau jaune » plongé dans la nuit.

À minuit, Sarah se lève. Elle se hisse sur son fauteuil et roule jusqu'au couloir.

Sarah prend l'ascenseur, descend au niveau – 1. Elle sort le badge de sous son tee-shirt.

Elle pose le badge sur le rectangle. L'ouverture se déclenche.

La porte se referme sur elle dans un cliquetis sinistre.

Seule, elle pénètre dans le tunnel obscur. Pas une once de lumière. Une nuit d'encre. Sarah allume sa lampe torche. Elle avance en s'éclairant du faisceau.

Dans la pénombre, le dédale semble encore plus démesuré. Pourtant, au loin, comme une enfant perdue qui aperçoit une lumière dans la forêt, elle repère un rai de lumière. C'est infime. Juste un liseré, au ras du sol. Il filtre de la porte noire, la « porte des Enfers ».

Sarah éteint sa lampe. Elle avance jusqu'au bout du couloir. Elle colle son oreille à la lourde armature métallique de la porte. Est-ce le fruit de son imagination, elle croit percevoir des gémissements.

Elle retourne en arrière et, doucement, roule vers le bureau du médecin. Sarah rallume sa torche. Là, elle glisse jusqu'au bureau. Elle cherche à ouvrir les tiroirs, en quête du badge spécial, mais ils sont tous fermés à clé. Et de la clé, aucune trace. Virgile Debonneuil doit la garder sur lui.

Impuissante, elle reste un moment au milieu du bureau sans bouger. Puis, elle se déplace vers les étagères où Virgile Debonneuil range les dossiers de ses pensionnaires. Le bruit qu'elle fait en écartant les feuilles lui semble assourdissant tant règne le silence alentour. Les papiers sont classés par ordre alphabétique. H, I, J… L. Audiberti, Clémence. Il y a tout : sa date de naissance, sa situation familiale, son adresse, son dossier psychologique.

Dans ce dernier, un passage attire l'attention de Sarah : « Grande détresse de la mère qui, en stade IV, craint non pas de mourir, mais d'abandonner son fils. » D'un trait de crayon rouge, quelqu'un a souligné « stade IV ». Les mots « célibataire », « faible lien avec sa propre mère » ont été également soulignés.

Mme Cortazar a pu souligner ces mots elle-même. Mais sinon ? Debonneuil aurait-il pu relever ce qui, dans le profil des filles, indiquait une victime fragile, seule, et donc facile ? A-t-il noté les brebis qui seraient aisément à sa merci ?

Puis, poussée par la curiosité, Sarah ouvre son propre dossier. Elle survole les mots en diagonale, puis elle les lit tous, assommée. Il ressort de tous les avis qu'elle est au bout du rouleau, en dépression profonde. La psy note qu'elle refoule sa douleur et qu'elle est, de ce fait, comme une Cocotte-Minute sur le point d'exploser. Elle redoute la survenue d'un épisode psychotique. Les mots « épisode psychotique » sont soulignés en rouge.

Cortazar relève que Sarah a fait sur Clémence une fixation névrotique. Alors que la jeune femme est partie du centre et a réintégré sa famille, Sarah persiste à voir dans son départ une piste criminelle. Cortazar se montre persuadée que, pour sa patiente, le refus d'accepter sa paraplégie est la cause du mal. Le symptôme majeur, à savoir son obsession sur une autre femme malade, a pour elle une double signification.

D'un côté, en tant que femme handicapée, elle

s'identifie à Clémence. Car elle se vit elle-même comme la victime d'un complot dont il existe un responsable, évidemment son médecin traitant, celui qu'elle tient pour responsable de l'absence d'amélioration dans sa condition physique.

De l'autre, elle se venge de Clémence Audiberti qui, contrairement à elle, a pu quitter le centre en raison d'une amélioration de sa condition que Sarah Lemire ne parvient pas à atteindre. C'est pourquoi elle invente ainsi des scénarios où la femme disparue subit les pires sévices.

Il y a d'autres rapports, tous corroborant l'idée de dépression mais aussi, notamment dans un compte rendu du docteur Lune, l'idée qu'elle ne retrouvera jamais l'usage de ses jambes et qu'il est donc impératif de l'aider à accepter la perte, le deuil. Le rapport note toutefois l'opposition de Luc Ferrier, qui constate chez Sarah une volonté immense et rappelle qu'on a vu marcher des patients que tous les médecins croyaient condamnés à ne jamais se relever. Nader Attar s'est trompé : seul contre tous, le kiné pense que Sarah pourrait marcher à nouveau.

Soulignés en rouge : solitude profonde. Tendances très nettes à la paranoïa. Neuroleptiques à prescrire si l'épisode psychotique se prolonge.

Sarah sort de l'aile administrative, franchit les quelques mètres qui la séparent de l'ascenseur. Elle referme la porte et, les bras endoloris par tant d'efforts, retourne en arrière. Elle ne peut s'empêcher de craindre que quelqu'un l'attende derrière la porte. Elle visualise une silhouette, un couteau à la main. Frappant comme un forcené.

Mais au bout du dédale, il n'y a que la nuit sans lune.

Alternative

Le lendemain, Alexandre arrive dans sa chambre plus tôt que d'habitude, vers sept heures. Sarah a beau le voir chaque jour, elle reste toujours saisie par sa beauté, ses lèvres, ses yeux noirs. Tandis qu'il soulève sa blouse, elle remarque ses mains, couvertes de griffures. Il s'est peut-être cogné. Un bref instant, Sarah l'imagine caresser Clémence comme il a caressé sa cicatrice hier. Il passe ses doigts sur son sein droit, blanc et rond, glisse vers le creux laissé par l'ablation de son sein gauche. Il parcourt les vingt-cinq points de suture. Il y pose ses lèvres. Il a des lèvres de femme.

— Vous pensez à quoi ? Vous n'êtes pas concentrée.

Saisie d'une impulsion, Sarah lui raconte la disparition de Clémence.

— Je sais. Elle est partie rejoindre son fils, répond Alexandre.

Sarah hausse les épaules. Peut-être. Mais ce n'est que la parole de Virgile Debonneuil. Rien ne prouve qu'il dit la vérité. D'une part, Clémence l'aurait prévenue ; d'autre part, elle aurait emporté la photo de son petit Mathieu.

— Elle a dû partir sur un coup de tête, ajoute l'aide-soignant.

Sarah hésite. En elle, luttent l'enfant et l'adulte. Celle qui croit aux loups dévorant les fillettes ; l'autre, qui pense raison et statistiques, estime que les gens font plus souvent des fugues qu'ils ne disparaissent corps et âme dans les recoins noirs des forêts.

— Il faudrait des éléments plus probants, ajoute Alexandre.

— La photo du petit, ça ne vous suffit pas ?

Alexandre secoue la tête. Sarah comprend que les forêts ne lui font plus peur. Il sait qu'elles n'ouvrent jamais sur aucun ogre ni loup. Même le noir ne l'effraie plus. Il s'est habitué. Il a apprivoisé ses terreurs enfantines. Elle juge inutile de lui parler de ses deux conversations avec le Fou. Elle sent bien que prêter foi à ses prophéties va la classer parmi les fous à son tour.

— Emmenez-moi voir les flics, dit Sarah.

Elle explique ses soupçons à Alexandre Ladoux : la porte des Enfers, la trappe.

— Ce ne sont que des suppositions. Elles ne reposent sur rien.

Sarah comprend qu'il ne la croit pas.

— Alors, s'il vous plaît, est-ce que vous voulez bien appeler chez Clémence, pour savoir si elle est bien rentrée ?

— Oui. Mais je n'ai pas son numéro.

— Je suis entrée dans le bureau du docteur Lune

et j'ai regardé le dossier de Clémence. Dedans, il y a les coordonnées de sa mère pour la joindre en cas de souci.

Alexandre fronce les sourcils.

— Mais vous ne pouvez pas faire ça !

— J'ai juste lu nos dossiers. Le sien, le mien.

— C'est complètement fou.

Ils poursuivent les soins en silence.

— Dans mon dossier, dit-elle à brûle-pourpoint, j'ai lu que je n'allais jamais remarcher. C'est vrai ?

Alexandre réfléchit un bon moment. Puis il répond en pesant chaque mot :

— Je ne sais pas, je ne suis pas habilité pour en juger. Mais le masseur-kinésithérapeute pense l'inverse. Il croit que vous pourrez.

Elle se tourne vers lui, elle attrape ses mains.

— S'il vous plaît, appelez sa mère. Un simple coup de fil. Faites ça pour moi.

À son silence, elle comprend qu'il va appeler. Dès qu'il rejoindra une zone couverte par le réseau. Elle savoure sa minuscule victoire.

Alors qu'elle s'apprête à rejoindre le plateau technique, Sarah découvre avec stupeur son père dans la cour. Comme s'il avait remplacé Clémence. Comme si on lui offrait une compensation, un lot de consolation.

— Excuse-moi, j'ai mis du temps pour venir, mais tu sais ce que c'est. Le champ à tondre. Le chien à sortir.

Sarah observe longuement son vieux. Elle l'a tellement attendu qu'elle est déçue. Son père porte toujours beau, il a conservé sa charpente ; mais Sarah ne voit que les fils blancs dans ses cheveux noirs, elle ne remarque que l'affaissement des chairs au niveau du cou. Des ongles sales, deux doigts jaunes.

Le vieux paraît d'autant plus fragile qu'il est déstabilisé par le silence de sa fille. Il espérait plus d'enthousiasme. Il pensait être accueilli en héros. Quand il rentrait le soir tard, même s'il venait juste de l'école du village, il attendait de sa fille, sa préférée, une réception triomphale.

Mais Sarah en a trop vu, et la disparition de Clémence la ronge.

Désarçonné par son silence, son père avance des pions supplémentaires.

— J'ai une bonne nouvelle. J'ai parlé avec ton toubib. Il est d'accord pour te laisser partir si j'accepte de te prendre avec moi. Je pourrais te faire construire une rampe, et tout ça. Ce qu'il faut.

Cette fois, Sarah est saisie de stupeur.

Partir d'ici, quitter le centre et retrouver la maison des souvenirs auprès de son vieux. Et si elle disait oui ? Et si elle quittait les lieux et allait se mettre à l'abri ? C'est le moment ou jamais. Elle se souvient de son réflexe étrange quand Nathan est parti : elle a voulu le rappeler et partir avec lui. Sa vie aurait été tellement différente… Elle n'aurait pas rencontré Clémence, elle n'aurait sans doute plus repensé à la barque, aux marais et aux demoiselles.

Son père lui offre une seconde chance de sortir du centre. En fauteuil mais vivante.

Elle pense à Clémence et à son fils Mathieu, qu'elle peignait d'un trait de pinceau jaune. Est-ce que ce souvenir vaut la peine de tout lui sacrifier? Elle pense à ses compagnons d'infortune, ici, à L'Herbe bleue. Est-ce pour eux qu'elle lutte?

— J'irai faire les courses. J'ai l'habitude. J'y vais en allant promener le chien.

Son père l'examine discrètement.

— Tu as changé, remarque-t-il.

Il rougit. Il n'a pas voulu parler du fauteuil, de l'accident. Sarah le sait. Elle a vu les bouleversements de son visage. Ses traits assurés, hautains, son amour de l'indépendance ont laissé place à la nouvelle Sarah : un pantin grimaçant, cynique et triste.

Son père n'ose rien ajouter mais Sarah lit sa tristesse et l'incompréhension dans ses yeux. Le vieux espérait un meilleur accueil, il s'imaginait que Sarah accepterait sa proposition avec enthousiasme, qu'elle lui sauterait au cou.

Un instant, elle hésite à lui dire ce qu'elle s'apprête à faire. Elle voudrait que son père la dissuade d'agir, qu'il l'empêche de foutre sa vie en l'air. Qu'il l'emmène maintenant et qu'elle reprenne la vie là où elle l'a laissée. Ou presque.

Mais les pensées de salut se couvrent de peinture jaune. Elle le sent, Clémence est là, près d'elle. Elle pose son chevalet dans l'herbe. Elle a toute une gamme de pinceaux. Elle en trempe un dans le bleu sombre. Elle peint le ciel, la mer et, plus loin, tout au bout du chemin, un phare jaune étincelant dans la nuit.

— Bien sûr, papa, dit Sarah. Avec plaisir. Mais je veux encore me retaper. Le kiné est super. Il fait un boulot formidable avec moi.

Et, pour la première fois, elle prend le vieux par la main.

— Dès que je serai prête, je t'appellerai.

En disant ces mots, elle repense à son frère. « On n'a qu'à appeler papa… » Son père aussi comprend ce que contiennent ces mots. Il retrouve de sa superbe, il se rengorge. Il se berce de l'idée qu'il va reprendre la situation en main, redevenir le père protecteur, celui qui sait toujours ce qu'il convient de faire. Il fera construire une rampe. Ils promèneront le chien ensemble. Ils iront flâner, pas dans les bois, mais enfin il y a assez de routes carrossables dans le coin pour ne pas s'ennuyer, même en fauteuil roulant.

— Tu te souviens ? La fois…

Un instant, la voix de son père parvient à couvrir les cris de Clémence qui résonnent dans sa tête. Un instant seulement.

Zone autonome temporaire

Juste après le déjeuner, Alexandre rejoint Sarah dans sa chambre. Il s'assoit près de son lit et parle avec précipitation :

— J'ai profité de ma pause pour descendre appeler. J'ai parlé à Jocelyne Audiberti. C'était… je ne sais pas… c'était bizarre.

— Vous avez eu Clémence ?

— Non, justement. Sa mère m'a assuré qu'elle était rentrée. Mais, je ne sais pas, elle l'a dit d'une voix étrange.

— Il suffit d'y aller. J'ai besoin de vous.

Il hésite. Sans doute pense-t-il qu'elle délire. Elle décide de devancer ses craintes.

— J'ai lu mon dossier médical. Cortazar pense que je fais un épisode psychotique. Je comprends que vous ne me croyiez pas. Mais j'irai. Si elle est chez elle, je saurai que je suis folle. Sinon…

« Sinon, il faudra chercher le loup caché dans la bergerie », songe-t-elle. Mais elle se retient de le dire. La référence au loup minera le reste de crédit qu'Alexandre lui accorde, elle le sait.

— On ne perd rien à vérifier, poursuit-elle. On pourra toujours dire que Clémence me manquait et que j'ai voulu lui rendre visite.

Apparemment, l'argument porte. Alexandre acquiesce.

— C'est vrai. Je dirai que vous m'avez forcé.

Il rit. Elle vient de remporter la première étape.

Alexandre pousse son fauteuil jusqu'à l'ascenseur. Puis, il conduit Sarah jusqu'à sa voiture, l'installe sur le siège passager, plie son fauteuil. Sur eux, ils emportent le strict minimum. Juste la feuille avec l'adresse de Clémence.

— Et s'ils s'aperçoivent qu'on est partis ? demande Sarah.

— Ils penseront sans doute que je vous séquestre, répond Alexandre sans sourire. Vous et Clémence.

Sarah se tourne vers lui. Elle ne peut s'empêcher d'envisager qu'il dise vrai. Il s'en aperçoit.

— Vous croyez sérieusement que je pourrais faire ça ?

Machinalement, les yeux de Sarah se portent sur le tatouage. Elle répond non d'un ton qui exprime l'inverse.

— Sérieusement, dit-il, il faut qu'on soit de retour en fin d'après-midi. Moi, je ne suis pas de service et, pour vous, ils ne s'en apercevront pas si vous êtes rentrée pour dîner.

— À moins qu'on ne revienne plus jamais.

*

Ça y est, ils sont sortis. Ils traversent des champs de blé, des villages. Ils roulent le long des lacets, redescendant vers le monde des vivants.

— On va aller manger d'abord, annonce Alexandre. Je n'ai rien avalé depuis six heures ce matin, quand j'ai pris mon service. On ira voir les Audiberti après.

Ils se rendent dans le seul bar PMU ouvert. Il a un nom avenant : La Bonne Graine. Ils s'assoient dehors, en terrasse, et commandent de la viande et une bouteille de vin. Il est treize heures trente, ils crèvent de faim. Sarah commande un tartare, Alexandre une entrecôte saignante.

Sarah considère avec appétit son morceau de viande. La nourriture du centre, sans être mauvaise, est assez fade. Les aliments, en rejoignant les cimes, perdent leur saveur. Elle retrouve avec joie le bonheur carnassier de dévorer la chair crue, accompagnée de pommes sarladaises. Ils prennent une assiette de fromage et un dessert. Profiteroles pour Sarah, tarte Tatin pour Alexandre. Sarah constate avec un étonnement amusé qu'en bas elle mangeait beaucoup de sucré. Mais la gourmandise a disparu au centre, remplacée sans doute par d'autres désirs plus vitaux. L'addition lui semble ridiculement basse. À Paris, un festin pareil aurait coûté cent cinquante euros, au bas mot. Ici, c'est cinquante-sept. Elle insiste pour payer et laisse au serveur un généreux pourboire.

Quand ils s'en vont, ils se sentent un peu éméchés. Sarah réalise qu'elle a presque arrêté de boire, à L'Herbe bleue. Pourtant, Dieu sait qu'elle levait le coude facilement, en bas. Quand elle restait seule, elle descendait au moins trois verres de vin et, les jours de sortie, elle pouvait ingurgiter une bouteille entière d'alcool fort. Parfois, elle se faisait vomir en rentrant, pour dormir mieux le bout de nuit qui restait.

Au centre, la vie est devenue plus sobre, quasi monacale, pour ainsi dire. Les patients peuvent se faire envoyer du vin ou en recevoir de leurs visiteurs. Mais aucun alcool n'est prévu au menu. Et, la dernière fois qu'on lui a offert à boire – Hélène Delambre, la grande brûlée, avait fait bénéficier ceux qui dînaient ce soir-là à sa table des largesses envoyées par son fils –, Sarah s'était d'abord jetée sur le verre avant d'hésiter à se resservir tant ce bordeaux pompeusement qualifié de « supérieur » était de piètre qualité.

Ils sortent donc assez ivres du bar PMU.

— Puisqu'on est dehors, autant en profiter un peu, propose Alexandre. Je vais vous montrer un lac où j'allais me baigner gamin. On ne perdra pas de temps, c'est presque sur le chemin.

*

Alexandre se dessine au-dessus de l'eau. Les bras écartés accentuent le triangle du torse. Deux vallées de chair bombées, séparées par le creux du sternum. Sarah n'ose pas regarder en dessous. Elle se tient dans son fauteuil, le dos bien droit, sur une zone plate à quelques mètres de la rive. Immobile.

Alexandre grimpe sur un rocher, à quelques

mètres au-dessus du lac. Il s'agrippe à une aspérité de la roche, faisant jouer les muscles de ses bras, de son ventre – parfaitement beau et lisse.

Sarah parcourt des yeux son visage, ses grands yeux sombres. Un instant, elle est frappée par sa ressemblance avec Ralph Dichters, le coureur qui l'a battue il y a quinze ans au rallye Monte-Carlo. Son adversaire intime.

Depuis son accident, Sarah se surprend à penser parfois que les gens ne sont pas seulement un amas de cellules, mais un peu plus. Elle répugne à utiliser le mot « âme » mais enfin, il est le plus proche de ce qu'elle ressent. Alors, peut-être l'âme de Ralph Dichters s'est-elle en partie infiltrée dans le corps d'Alexandre.

Alexandre plonge du rocher. Il pénètre dans l'eau. Se découpe sur le fond noir. Il nage.

Sarah regarde avec délice Alexandre fendre l'eau sale pour la rejoindre. Puis, il est là. Près d'elle, peau à peau. Ses épaules larges, ses jambes minces et élancées. Le tatouage sur son avant-bras.

Il passe un bras autour de sa taille. Il touche l'un de ses seins.

— Viens, dit-il simplement.

Elle le laisse soulever sa robe au-dessus de ses épaules et la porter, en sous-vêtements, jusqu'à l'eau. Le contact est glacial mais il lui fait du bien. À cause de la température, il lui semble qu'elle sent ses jambes. Peut-être est-ce une illusion, le docteur Lune l'a tant mise en garde contre les « erreurs des sens ».

La vague de froid remonte de ses pieds jusqu'à

son bassin et la chair de poule couvre son épiderme. Pour une fois depuis plusieurs mois, Sarah ne se sent plus scindée entre haut et bas, entre buste et jambes.

Ils se touchent, la pression de leurs mains, leurs doigts, leur étreinte marine. Elle imagine leurs caresses et celle de l'eau. Alexandre contre elle. Il la porte comme une jeune mariée.

Ranimée par le froid et l'eau, Sarah s'éveille d'une torpeur ancienne. Cela fait si longtemps qu'elle n'a plus reçu de caresses. Elle désire le jeune homme brutalement, avidement. Elle nourrit, depuis des nuits, des fièvres qu'on n'avoue pas. Elle les a assouvies seule, avec ses doigts, pendant que Clémence dormait dans le lit voisin du sien.

Honteuse de ses pensées, elle n'ose pas le regarder. Pourtant, il suffit de tourner la tête, d'ouvrir les yeux, pour voir le corps offert, presque nu et confiant comme celui d'un enfant. Elle n'ose pas.

Des berges, on aperçoit l'eau sombre, un terrain vague de l'autre côté de la rive, des bouquets d'arbres. Le ciel est parfaitement bleu. L'eau répercute ses éclats d'or.

Près d'eux, la forêt bruisse de toutes parts. Alexandre approche sa main. Il caresse son épaule, Sarah le laisse faire. Il se penche vers elle et l'embrasse. La honte revient. Elle met ses mains en croix sur ses cuisses, comme si elle voulait les faire disparaître. Il pose ses lèvres sur son bras, là où un morceau de verre a planté ses crocs. Il embrasse la cicatrice. Il est encore plus beau dehors, à l'air libre. Ses mains sont longues, un peu calleuses. Ses épaules larges, son ventre plat. Sarah se sent désarçonnée, elle est sur le point de pleurer. Il attrape ses mains, les décroise et les écarte pour dévoiler ses cuisses. Il les parcourt longtemps avec sa bouche et ses mains. Il les caresse, les écarte, les replie contre lui.

Il caresse sa taille, son ventre, ses cuisses. Elle a tout oublié de la tendresse. Alors ils reprennent au début, avant que l'accident ne transforme Sarah, ne vienne imprimer ses griffes sur sa peau, dans sa mémoire, jusqu'à transformer ses désirs. Jusqu'à les rendre si fragiles et soumis qu'ils n'ont d'autre choix que de reproduire à l'infini la violence pour tenter de l'apprivoiser.

Ils s'étreignent sans se faire mal. Seule compte la douceur, dans un monde qui l'en a si cruellement privée depuis des mois. Elle se souvient de paroles qu'Alexandre a prononcées au sujet de la rééducation :

— Tu verras, tout ce que tu vas reconstruire sera plus fort qu'avant. C'est pas des paroles en l'air, c'est vrai. Chaque muscle que tu auras récupéré sera plus résistant. En fait, tu deviens plus fort quand tu as accepté d'être fragile.

Alors Sarah se laisse aller. Elle renonce au corps triomphant qu'elle a été, pour accueillir ce qu'elle est devenue : une chair recousue, des jambes bloquées, lourdes et douloureuses, un assemblage d'os et d'acier.

Elle consent à sa vulnérabilité et ce consentement la libère d'un tel poids qu'elle se laisse aller à la tristesse et au plaisir d'un même élan, et à la souffrance et à la joie.

*

Alexandre regarde le lac, le visage pensif – heureux. Un rayon de soleil se réverbère sur le rocher et décline. Sarah ne pense même pas à mettre sa caméra imaginaire en marche.

— Et si on se jetait à l'eau ? lance Sarah. Là où c'est très profond.

Alexandre se redresse sur ses avant-bras et l'observe longuement.

— Tu veux mourir ?

Elle hoche la tête.

— Les Japonais ont un mot pour ça, *shinzu* ou un truc dans le genre. C'est le suicide d'amour à deux. Quand la vie est trop parfaite et que tu pourras jamais rêver mieux, certains décident d'en finir tout de suite plutôt que de vivre une succession de déceptions. Tu trouves pas qu'on y est ? Qu'on n'aura jamais mieux ?

— Possible que non.

Sarah lui tend la main.

— Viens. On le fait !

Alexandre ignore si elle plaisante ou pas. Il y songe sérieusement, un instant. Jusqu'à ce qu'une voix en lui, celle d'un petit garçon que les adultes n'ont pas réussi à faire taire, continue à lui murmurer qu'il y aura d'autres jours heureux.

— Moi, dit Sarah, quand je serai sortie du centre, je ne retournerai pas à Paris.

— Et si on partait ensemble ? dit Alexandre. Moi non plus, je ne tiens pas tant que ça à rester ici.

— On irait où ?

— Loin. En Australie, en Nouvelle-Zélande.

Sarah se tait. Elle rêve. Un train dans le petit matin gris glacé. Ils marcheraient côte à côte sur le quai. Des gens normaux. Debout. Le train va les emmener à Paris et, de là, à Sydney, via Singapour.

Sarah porte un sac à dos. Dedans, elle a tous ses biens. Des vêtements de plage, de montagne, de soleil et de pluie. Ni livres, ni photos. De la musique, ça oui.

Elle porte surtout des souvenirs. Le lac d'ici, aux reflets de brume et d'or. Le bois de châtaigniers. Les chiens, les saules pleureurs, l'envol d'un canard, dans les marais de son enfance. Les brouettes de feuilles. Le champ. La tondeuse. Des vélos rouillés.

Et riches de leurs souvenirs, ivres de musique, légers comme des oiseaux, ils partent. Fuir, là-bas fuir…

À quoi peut bien ressembler la Nouvelle-Zélande ? Des vagues d'herbe bleue, une mer émeraude. Des moutons. Et l'Australie ?

Ils se trouvent une maison en bois. Là-bas, personne ne les connaît.

Sarah prend la main d'Alexandre. Autour d'elle, la campagne de son enfance renaît. Des primevères fleurissent au bord de l'autoroute.

Là-bas, en Australie, ils prennent un autre avion. De Sydney vers Cairns. Direction : la grande barrière de corail. Sarah rêve d'une plage déroulant ses dunes bleues et blanches. Le sable, foncé aux abords de l'eau, s'éclaircit vers la terre. Des bancs de coquillages forment des chemins étincelant vers la mer. Étoiles de sable.

Allongée le long d'un rocher incrusté d'algues douces, Sarah est étendue près d'Alexandre. Les vagues caressent ses chevilles, remontent le long de ses cuisses, couvrent son ventre, son visage. La mer en se retirant forme des traînées de sel sur ses joues. Sa tête perce un rideau de nuages.

Et c'est la mer, la mer, toujours recommencée, ciel parfait, beaux visages, banc de coquillages, rocher humide, couvert d'algues vertes.

Des rêves plein la tête, ils s'imaginent tout quitter vraiment. Couper les derniers liens qui les unissent à leurs proches. Tracer la route le plus loin possible des disparues, de la peur et des corps disloqués.

— Tu sais ce que c'est, une zone autonome temporaire? demande Alexandre.

Une zone autonome temporaire… Sarah se figure un lieu hors de l'espace et du temps. Entièrement blanc.

Sarah se souvient de ce que Clémence lui a montré. Des mondes imaginaires qu'elle faisait naître sous ses doigts. Elle imagine des trajets en train, en avion, en bateau. Des chemins semés de fleurs, d'arbres inconnus aux troncs blancs et aux feuilles bleu-vert. Des crépuscules de l'autre bout du monde, des cieux piqués d'étoiles.

— Non.

Attiré par le chant du large. Les arbres autour d'eux désignent des lieux au ciel. Sarah lève le visage pour apercevoir le toit de verdure que tresse la canopée au-dessus de leurs têtes. Les arbres se déploient pour tracer une route vers là-haut.

— Une poignée d'anonymes, il y a un demi-siècle, se sont baptisés Hakim Bey. Eux-mêmes, ils s'inspiraient des « utopies pirates ». Au XVIIIe siècle, les pirates avaient déjà créé un réseau planétaire. Dans des îles, certains se sont réunis en microsociétés vivant hors de la tutelle de l'État. Comme ils savaient que personne n'échappe longtemps aux yeux du pouvoir, ils se sont résolus à s'organiser momentanément, puis à défaire leurs liens pour recréer d'autres microstructures ailleurs. Ils ont donc inventé des « enclaves libres ». Pour devenir libre, il suffit de renoncer à la pérennité, d'être prêt à toujours repartir et reconstruire. C'est pourquoi ils ont appelé ces lieux des « zones autonomes temporaires ». En anglais, des TAZ. Bouger. C'est le secret. Le mouvement, c'est la seule défense. En se déplaçant sans cesse, on devient non localisables. Et si on est non localisables, on échappe à tout le monde.

Dans le discours d'Alexandre souffle le vent de la démesure. Et du réel. Les portes cochères, les feux de signalisation, le bruit strident des klaxons, le canal, son écoulement lent et noir, des visages, des cheveux, des pas. Il y a aussi des criques, des falaises, des rocs, des étoiles, des tic-tac d'horloge, des cliquetis de clés, un Abribus, une balustrade. Des radeaux d'où quitter la rive et gagner une zone où vivre enfin à corps perdu, sans compter, sans s'économiser, et lui, il sent le sable et le chaud, elle le serre contre elle.

Sarah revoit les paysages de sa jeunesse : une terre humide et verte, une terre de marais et de saules pleureurs, des nénuphars jaunes et des libellules bleues, des ponts en bois cassés, des barques sales et qui prenaient l'eau. Et des champs de blé, et un ciel d'orage, et la petite fille qu'elle a été et qu'elle pensait depuis longtemps disparue.

Sarah pense à son père. Au monde qu'il lui décrivait quand elle était gamine. Un monde vert qui, peut-être, n'a jamais existé que dans son imagination. Des fleurs éclatantes, des fruits aux formes étranges, des villes non colonisées par les marques.

Savoir que cette terre boueuse et luxuriante existe quelque part la rassure. Et si cette terre n'existe plus, il faudra la recréer. Jamais Sarah n'a ressenti un besoin si pressant de sortir, de s'approcher de l'étendue de feuilles. La déchirer et fuir.

Elle se sent saisie d'un grand élan de liberté. Le monde se déplie sous ses yeux. Il lui offre ses mille ramifications, le ciel immense, infinité de l'espace et du temps.

Elle est rendue au-dehors, à la nature, à l'existence éternelle et sauvage des choses.

Devant Sarah, s'étendent l'horizon vert du nouveau monde, les feuilles brillantes, craquantes, la surface bleue du ciel. Jamais auparavant elle n'a regardé l'extérieur avec une telle intensité, comme si Alexandre lui ouvrait les yeux, lui faisait voir les choses pour la première fois. Avant, quand elle marchait, elle regardait toujours par terre pour éviter les obstacles, remâchant quelque préoccupation secrète qui lui interdisait de se perdre au-dehors. Oui, c'est cela. Elle ne se perdait jamais. Elle ne s'oubliait jamais elle-même, ne s'abîmait jamais dans le paysage. Elle marchait rapidement sans se fondre à la ville, sans s'y absorber. Elle découvre aujourd'hui le plaisir de s'égarer au ciel, au vent, au soleil de l'automne, aux voix de l'extérieur, fusionnant, sans plus éprouver sa propre identité – sentiment qui l'opposait toujours aux autres, à la ville et à ses passagers fugaces. Ici, entièrement happée par les pierres blanches, lumineuses comme des coquillages, du chemin qui mène vers le bois, happée par le bois, couleurs vert et rouge, marais. Sarah à cet instant ne se vit plus comme un être autonome, mais comme une part de l'eau et comme une part du ciel, et de la vase, et des feuilles de nénuphars.

Elle tend la main vers Alexandre. Le lac noircit derrière elle. Comme un voile, il entoure sa nudité.

« Je t'aime », chuchote-t-il. Elle se tait, ne répond rien pour ne pas briser le moment fragile. Elle sourit. La beauté des yeux d'Alexandre, immenses et noirs, lui rend un peu d'éclat.

L'eau sombre, les reflets du soleil sont devenus des taches d'or, la nappe verte de l'herbe est trouée de jaune et de rouge – les saisons imperturbables, la permanence des champs. Le lac, lieu qui, à l'abri du monde, bordé d'arbres centenaires, de saules pleureurs, eau lourde, morte, eau profonde dans laquelle s'emmêlent depuis la nuit des temps les racines de gigantesques fleurs d'eau, les libellules rasant la surface opaque, des hoquets de piverts, de canards sauvages. Des barques trouées, surnageant.

Ils se serrent la main très fort, ils ont peur de se perdre. Quelque part dans le monde, ils ont trouvé une terre. Ils ne se projettent plus. Ils n'existent que dans l'instant.

Sarah regarde Alexandre, elle qui toujours passait devant les choses sans les regarder. On la disait hautaine, parce qu'elle ne prêtait attention à rien, qu'elle ignorait le sens du vent, la saison de la chasse. Désormais, elle s'est surtout prise de passion pour l'eau – l'eau noire du lac, l'eau dormante des fleuves, les cours d'eau, les ruisseaux, les fontaines.

Celles que Clémence a peintes pour Mathieu et qui, pour Sarah immobilisée, ont ouvert les portes d'un autre monde dans lequel cheminer.

Elle se dit qu'elle pourrait rester là, avec lui, oublier Clémence, comme Énée oublie à Carthage, dans les bras de Didon, la mission qu'il s'était fixée, la fondation d'une nouvelle ville. Elle essaie de se redresser. Sa colonne la fait souffrir, même ses jambes s'étirent plus douloureusement que jamais.

— On y va ?

Ils prennent la voiture, la tête encore pleine de rêves de départ et de vent. Ils roulent. Derrière les vitres, le lac où ils se sont baignés, vaste étendue noire de rayons de soleil, un pont, des champs. Puis, une succession de zones industrielles, de cheminées aux cols immenses qui fument comme des bateaux à vapeur en partance pour l'étranger, succession jaune, rouge et vert d'arbres et de prés ras.

Ils roulent. Ils s'éloignent du centre. Ils entrent dans le paysage, dans les nuages.

Les absents

La maison de Jocelyne Audiberti respire la pauvreté et la tristesse. Du dehors, c'est déjà palpable. C'est une petite demeure grise, qui ne paie pas de mine. Elle s'efface dans le décor, elle cherche à se faire oublier.

Quand ils sonnent, personne ne leur répond. Mais Sarah voit bouger le rideau de la fenêtre. Quelqu'un les observe derrière le voilage opaque.

Alexandre se met à frapper plus fort, il interpelle :

— Madame Audiberti !

Un instant, Sarah rêve que Clémence se cache derrière la dentelle fausse et va venir leur ouvrir. Mais c'est finalement le visage terrifié de Jocelyne qui apparaît dans l'embrasure de la porte.

— Vous voulez quoi ?

— On est des amis de Clémence. On la cherche.

— Elle est pas là.

— Elle revient quand ?

— Je ne sais pas.

Jocelyne s'apprête à refermer. Mais Sarah fait rouler son fauteuil sur le seuil. Gênée, Jocelyne ne peut plus fermer la porte. Elle se trouve contrainte de les laisser entrer. Comme Sarah s'en doute, Jocelyne ne crie pas, elle n'appelle pas à l'aide. Elle se contente de disparaître quelque part, loin, dans un coin de sa tête. Sarah connaît ça sur le bout des doigts. Elle vient de passer des semaines à le faire.

Elle s'apprête à forcer le passage quand une petite voix retentit :

— Mamie, c'est qui ?

— C'est personne, mon chéri. Des colporteurs.

Elle les regarde, chuchote :

— Faut partir. Je sais pas où elle est.

— Madame Audiberti, on a peur qu'il soit arrivé quelque chose à Clémence. Est-ce que vous voulez venir avec nous signaler sa disparition à la gendarmerie ?

Jocelyne esquisse un geste de terreur. Elle souffle :

— Non. Elle a pas disparu.

Sa voix a pris un débit de robot. On dirait une leçon apprise par cœur.

— Mais vous ne comprenez pas, dit Sarah. On ne sait pas où elle est, ni avec qui. Elle est peut-être en danger.

— Elle a pas disparu, répète-t-elle. Je l'ai vue.

— Si vous ne nous dites rien, on ne peut pas l'aider…

Le petit appelle à nouveau. Regard terrifié de Jocelyne.

— Dieu sait où elle sera encore allée se fourrer !

Elle se place devant la porte pour les inviter à sortir. Mais Sarah, forte de son handicap, n'esquisse pas un geste.

— Je sais que vous mentez. Je ne sortirai pas…

Jocelyne regarde vers le jardin. À travers la fenêtre, Alexandre et Sarah voient Mathieu en train de jouer au ballon.

Jocelyne chuchote :

— Elle est venue ici il y a deux jours. Elle m'a dit de ne rien dire, elle m'a donné de l'argent pour le petit. Elle a dit qu'elle partait vivre à l'étranger. Mais qu'on m'en enverrait d'autre.

— Mais elle allait où ?

— Elle a donné aucun détail. Elle m'a juste dit de pas m'inquiéter. Que l'important, c'était le petit.

Et, plus bas :

— Elle m'a donné trois mille euros. En liquide.

— Et d'après vous, elle est où, maintenant ? Avec qui ?

— Elle a dû suivre un homme. Clémence a toujours été un cœur d'artichaut. Avec le père du petit, déjà…

Elle jette un regard vers la fenêtre comme s'il pouvait les entendre puis, rassurée, poursuit :

— Un sale type. Il trafiquait des voitures ou un truc comme ça. Elle est partie avec lui à La Rochelle, et à Dunkerque. Et un jour, elle est revenue toute seule. Un bébé dans les bras. Le type l'avait laissée sur le trottoir. Elle a jamais été douée ni pour les choisir ni pour les garder.

La porte se referme. Clac. C'est tout. Ils se retrouvent dehors, leurs espoirs à terre. Le petit garçon au ciré jaune joue au ballon dans le jardin.

— Mathieu ! Viens, invite Sarah.

Le petit garçon les regarde. Ils reconnaissent dans ses yeux la même lueur terrifiée qu'ils viennent d'apercevoir dans ceux de sa grand-mère.

Sarah en a le cœur serré. Le petit a cinq ou six ans, et déjà la flamme de la joie et de l'insolence s'est éteinte dans ses yeux.

Alexandre essaie de parler tout doucement pour ne pas l'effaroucher :

— Est-ce que tu sais où est ta maman, Mathieu ?

Cette fois, quelque chose a brillé dans son regard. Entre espoir et inquiétude.

Il hoche la tête.

— Oui, elle est dans une maison à la montagne.

— Où ça ? demande Sarah.

Il veut espérer encore mais Sarah, elle, a déjà compris.

— Je sais pas, dit l'enfant.

— Elle est comment, cette maison ? demande-t-elle. C'est un très grand bâtiment avec un portail blanc ?

Le petit sourit, il hoche la tête.

— Oui.

— Et il y a une pancarte où est écrit L'Herbe bleue ?

— Je sais pas lire.

— Est-ce qu'il y a une nouvelle boîte aux lettres avec des oiseaux peints dessus ?

L'enfant acquiesce.

— Tu l'as revue quand pour la dernière fois ?

— Dimanche d'avant.

— Le jour où tu m'as vue, moi aussi ?

— Oui.

— Tu ne l'as plus revue depuis ?

— Non. Je lui ai fait un dessin. Je lui apporterai la prochaine fois.

— Elle n'est pas venue ici ?

— Non.

Le petit garçon leur jette un regard vide.

Jocelyne ouvre la fenêtre. Elle interpelle l'enfant :

— Mathieu, viens ici !

Alexandre et Sarah s'éloignent à regret. Saisie d'une impulsion, Sarah fait demi-tour et roule jusqu'au petit.

— Si tu sais quelque chose, dis-le-moi.

Le petit garçon reste devant la porte sans bouger. Il hoche la tête.

— Mathieu ! répète Jocelyne.

Il dit tout bas :

— Mamie a reçu un coup de téléphone. Elle a dit que c'était ma maman mais elle a pas voulu me la passer. D'habitude, elle me la passe toujours au téléphone. Après, elle a pleuré. Elle m'a dit qu'elle s'était fait mal contre un coin de la table mais moi, j'ai vu qu'elle s'était pas cognée.

Sarah prend sa main, elle la serre. Elle sent que l'enfant a un peu peur d'elle et de son prolongement de métal.

— Ta maman t'aimait beaucoup, tu sais. Elle parlait de toi tout le temps. T'étais le seul être au monde qu'elle aimait, qui la faisait tenir.

Mathieu reste muet. Mais il écoute. Il écoute de toutes ses oreilles.

— Elle te peignait toujours en jaune parce que t'étais son soleil. Alors, s'il te plaît, garde de la colère, de la révolte. Parce que c'est tout ce qui nous reste de vivant.

Rétrécissements

Alexandre tapote sur son portable. Il s'efforce de trouver une antenne de gendarmerie à proximité, sur le site des Pages blanches. Il découvre une brigade territoriale de gendarmerie à Augiens, au 33 rue des Migraines.

Ils regagnent une départementale. De là-haut, les champs s'étendent à perte de vue. Puis, le monde adopte l'apparence miteuse de la brigade territoriale autonome de gendarmerie d'Augiens. Le changement de décor est frappant. Hideux, le retour au réel. Une façade étroite, gris sale. Du mur sort une protubérance sur laquelle est inscrit en lettres bleues : « Gendarmerie nationale ». Le bâtiment est entouré d'une petite barrière couleur rouille. Devant l'entrée, des places de stationnement sont réservées aux gendarmes. Toutes vides.

Évidemment, il n'y a aucune rampe pour handicapés. Alexandre est donc contraint de soulever Sarah de son fauteuil pour l'asseoir sur les trois marches qui mènent à l'entrée. Il porte le fauteuil dans le couloir avant de retourner chercher Sarah pour la réinstaller sur sa chaise roulante.

Ils entrent dans un lieu désert. Aucun gardien, aucune protection.

Ils appellent :

— Il y a quelqu'un ?

Ils entendent au loin le bruit d'une chasse d'eau et un jeune homme, l'air hébété, apparaît au bout du couloir. Un brigadier quelque chose. Dutour ou Latour. Il est grand et costaud, entièrement chauve. Sa peau est blanche et rose, il a des yeux très noirs.

— C'est pour quoi ?

— On voudrait signaler une disparition.

Cette fois, sa stupeur est complète.

Il les emmène dans une salle d'environ vingt mètres carrés, avec deux bureaux Ikea sur lesquels sont posés des ordinateurs datant du siècle dernier. Puis il les considère d'un œil vide.

— Redites-moi l'adresse.

Le gendarme tape sur son ordinateur. Il fait une drôle de tête.

— Vous venez du centre de soins de suite et de réadaptation de Chanteval ?

Sarah hoche la tête. Sa bouche minuscule se tord en une drôle de grimace, son nez se plisse comme si une odeur pestilentielle s'était installée dans la pièce.

Sarah lui raconte la disparition de Clémence Audiberti. Et la porte noire, toujours fermée. Le gendarme l'écoute à moitié, l'observant à la dérobée. Son handicap le met mal à l'aise mais il aimante son regard.

Le gendarme l'interrompt :

— Vous avez fouillé cette pièce ? Et elle était vide ?

Sarah sent le gendarme de plus en plus sceptique. Il finit par se tourner vers Alexandre comme si, d'une certaine façon, le handicap physique de Sarah devait avoir des retentissements psychiques et que, du fait de sa paraplégie, Sarah souffre forcément de troubles mentaux.

À bout de nerfs, Sarah demande à parler à un supérieur. Mais le brigadier hausse les épaules : il n'y a que lui. C'est calme, par ici. Ils n'ont pas besoin d'effectifs très étoffés.

Pourtant, à la demande d'Alexandre, il finit par téléphoner à son chef. Après avoir échangé quelques mots avec l'aide-soignant, qui a littéralement arraché le combiné des mains du brigadier, le capitaine Bernard de Ren rejoint l'antenne de gendarmerie vingt minutes plus tard, d'une humeur maussade.

Le capitaine est un homme d'un certain âge, aux cheveux déjà gris et rares, au long corps maigre, à l'air un peu sec. Il fait plutôt une bonne impression à Sarah, malgré son air renfrogné. Sarah et Alexandre racontent à nouveau l'histoire. Cette fois, avec l'habitude, ils déploient toute leur force de conviction et, si le capitaine de Ren observe Sarah avec une certaine gêne, il accorde visiblement du crédit à la version d'Alexandre. Il pose des questions :

— Pourquoi ne pas avoir alerté les autorités plus tôt ?

Ils répondent du mieux qu'ils peuvent, s'efforçant de rester pondérés dans leurs accusations.

Au bout d'une heure éprouvante, le capitaine de Ren promet de venir visiter le centre. Si une femme a disparu à L'Herbe bleue, ils seront vite fixés.

Sarah retourne vers la voiture la gorge nouée mais pleine d'espoir. Après tout, si Jocelyne a entendu la voix de Clémence, peut-être son amie est-elle encore vivante, quelque part. Peut-être n'est-il pas trop tard pour la retrouver. Ni trop tard pour reprendre en main sa vie qui, depuis l'accident, s'est si brutalement délitée.

*

Sarah et Alexandre roulent vers le centre en silence. Malgré l'espoir né de leur entrevue avec le capitaine de Ren, une chape de plomb s'abat sur eux, à peine sont-ils montés dans la voiture.

Dehors, rien n'a changé, ni les champs de blé ni les arbres, ni les zones industrielles ni les gens, mais tout leur paraît différent. Même à cent bornes de distance, les grilles imaginaires se referment progressivement sur eux. Au loin, Sarah regarde les nuages. Elle se demande si, en y déplaçant son imagination, elle se trouverait en zone libre.

Le départ de Sarah hors du centre, vers le monde d'en bas, a éveillé en elle un immense espoir. Irrationnel. Ainsi on pouvait s'échapper. Disparaître. Les murs dressés autour d'elle étaient des obstacles imaginaires. On pouvait « fuir, là-bas fuir, être parmi l'écume inconnue et les cieux ».

Mais ce vent d'euphorie retombe brutalement lorsque la voiture d'Alexandre se gare sur le parking.

En entrant dans L'Herbe bleue, ils voient quelque part dans les lueurs déclinantes du début de soirée s'allumer une lumière. Le crépuscule baigne d'ombres les arbres, là-bas, au-delà du bois. Ils arrivent beaucoup plus tard que prévu. Le dîner du soir est terminé depuis longtemps. Ils auraient pu appeler, ils ne l'ont pas fait. Ils ont oublié, ils n'ont pas voulu y songer. Ils ont préféré rester sur la note de liberté et de joie ouverte par leur départ.

En s'approchant du plateau technique, ils croisent un chat errant qui crache dans leur direction. Plus loin, des corbeaux volent bas au-dessus du parc comme s'ils avaient repéré une charogne à se partager.

Peut-être guettent-ils juste leur heure en suivant les patients de près, devinant déjà en eux les cadavres à venir, devinant sous leur peau la mort à l'œuvre, dans un gigantesque charnier à ciel ouvert.

Quand ils atteignent le bâtiment central, un comité d'accueil les attend. Virgile Debonneuil, Deborah Ndaye et Luc Ferrier les regardent approcher. L'air grave. Le docteur Lune accueille sèchement les évadés, à la façon dont on réprimande des enfants après qu'ils ont fait l'école buissonnière.

— Mademoiselle Lemire, vous auriez pu me prévenir, dit le docteur Lune d'un ton glacial. Je me suis fait un sang d'encre pour vous. Monsieur Ladoux, vous allez sans doute pouvoir m'expliquer.

Le visage du docteur Lune est plus blême encore qu'à l'accoutumée.

Alexandre le prend à part.

— Je suis désolé mais j'ai cru bien faire, dit-il. Sarah avait besoin de sortir, elle a fait un coup de déprime.

— Et vous ne pouviez pas m'en parler ?

— Je n'ai pas eu le temps, c'était urgent. Elle allait faire une bêtise, je l'ai vu tout de suite. Elle était à bout.

Alexandre essaie d'arrondir les angles. De gagner du temps. Virgile Debonneuil finit par acquiescer. Mais c'est sa face obscure, son quartier noir, qui désormais a dévoré la face lumineuse.

Tandis que Sarah avance dans le parc, elle sent sur elle le regard scrutateur du personnel soignant et des autres patients.

— Vous n'oublierez pas de me rendre mon badge.

La phrase claque. Elle se tourne. Luc Ferrier tend la main vers elle. Elle ne tente ni de nier ni de se justifier. Elle farfouille dans sa poche et en sort le rectangle de plastique. Il l'attrape sans mot dire et le glisse dans son sac.

Derrière la porte

Les gendarmes tiennent parole mais ils attendent trois jours avant de venir. Trois longues, trois interminables journées. Le capitaine de Ren ne s'est engagé à aucun horaire précis, il a juste promis de trouver une excuse à sa visite pour dédouaner Sarah et éviter autant que possible de lui faire courir des risques inutiles, dans le cas où ses soupçons se révéleraient fondés. De son côté, elle s'est engagée à ne pas intervenir, à ne pas se montrer durant leur perquisition.

Chaque instant, Sarah croit entendre leur voiture entrer dans le centre et rouler jusqu'au parking de terre battue. Mais rien ne vient que les allées et venues du personnel soignant. Aucune visite du dehors, comme s'ils étaient un fort retranché coupé du monde extérieur.

Le centre reçoit la visite du capitaine Bernard de Ren et du brigadier Rémy Dutour le jeudi suivant. En plus de ces trois jours qu'ils mettent à venir, les gendarmes ont apparemment prévenu le docteur Lune de leur arrivée. Car Virgile Debonneuil a demandé de faire un grand ménage. Lui-même a disparu dans l'aile administrative trois jours durant. Sarah, aux aguets, n'a rien pu voir de ses faits et gestes. À peine a-t-elle aperçu, lors d'un rendez-vous avec la psy, le docteur Lune s'approcher de la porte noire. Elle a cru le voir entrer. Mais elle n'en est pas sûre.

Elle a pris un rendez-vous avec la psychologue dès le lendemain, puis, ne les voyant pas venir, le deuxième puis le troisième après-midi. Malgré ses promesses de se tenir à distance, elle espère se trouver au sous-sol au moment où le capitaine inspectera l'aile administrative. Elle veut surprendre le moment où Virgile Debonneuil devra ouvrir la porte, soulever le tapis donnant sur une trappe, et dévoiler à tous son terrible secret. Car Sarah ne doute pas que la porte ouvre sur un mystère indicible, nul doute qu'elle est le point de fuite où convergent les forces de l'Enfer.

Pour autant qu'elle sache, peut-être que le docteur Lune dévore les disparues. Qu'il se nourrit de leur chair crue. Rien ne saurait la surprendre. Son insignifiance même permet de prêter au docteur Lune les traits les plus divers, les visages les plus impensables.

Quand Bernard de Ren et son collègue arrivent, le centre n'a jamais tant resplendi. Il fait un soleil insolent. La façade en pierre luit. Des pâquerettes et des pissenlits égaient l'herbe.

Le capitaine paraît favorablement impressionné, en entrant. Mais il ne s'en tient pas à cette première impression. Il veut voir le centre de soins en entier. Tout. Du bâtiment principal à la balnéothérapie et au gymnase.

— Docteur, désolé de cette intrusion, dit le capitaine. Mais j'ai reçu une plainte d'un membre du personnel soignant, qui souhaite rester anonyme – vous le comprendrez.

— Une plainte à quel sujet ?

— Une femme qui aurait disparu.

— Mais enfin, c'est ridicule, proteste le docteur Lune. Disparu où ? Encore cette rumeur sur Clémence Audiberti ?

— Visiblement, poursuit le gendarme avec flegme, elle a disparu. Et nous avons été saisis par la juge. Voici notre mandat.

Le docteur Lune regarde le bout de papier, hébété. Puis, il finit par s'effacer derrière les deux gendarmes.

Bernard de Ren observe le réfectoire, suivi par son collègue qui, gêné par la proximité des maux et des blessures, conserve les yeux baissés. Il passe même un doigt sur les tables en formica. Il lit le menu de la semaine, affiché près de la porte. Il hoche la tête, apparemment satisfait. C'est vrai qu'on mange beaucoup, au centre. Comme les enfants des contes, gavés avant d'être dévorés par l'ogre ou la sorcière, on leur sert généreusement une nourriture roborative, sans saveur mais de bonne qualité.

Les lieux sont inhabituellement propres, pourtant il émane de l'endroit un parfum de tristesse impalpable.

Les gendarmes font des commentaires, posent des questions :

— Est-ce qu'il ne fait pas un peu froid ? À quelle heure a lieu l'extinction des feux ?

Sarah se trouve en pleine séance lorsqu'elle entend du bruit. Des voix d'hommes. Elle se tait. Cortazar l'observe avec attention.

— Comment analysez-vous aujourd'hui votre obsession pour le docteur Virgile Debonneuil ?

— J'avais besoin de reporter la faute sur un autre individu que moi.

— Quelle faute ?

— Mon accident. J'avais besoin d'accuser quelqu'un.

— Ah…

Cortazar pousse un râle de bonheur.

— On avance, on avance, mademoiselle Lemire. Et, à votre avis, pourquoi lui ? Pourquoi justement le docteur ?

Pour Sarah, c'est facile, elle connaît d'avance toutes les réponses.

— Eh bien… peut-être…

— Oui… oui…

— Peut-être parce qu'il pense que je ne pourrai jamais remarcher.

— Oui !

— Et peut-être…

— Oui…

— Peut-être qu'il me rappelle mon père.

La psychologue se lève presque de sa chaise tant elle est heureuse. Persuadée d'avoir réussi à accoucher la vérité de Sarah. Persuadée que cet accouchement va lui apporter l'apaisement.

Soudain, à travers la cloison en Placo, Sarah les entend.

— Il paraît qu'une patiente de votre établissement a disparu, demande le gendarme.

— Clémence Audiberti ? Elle est rentrée chez elle.

— L'ennui, docteur, c'est que nous sommes allés chez sa mère. Elle nous a assuré que sa fille était venue mais, honnêtement, elle n'a pas pu le prouver du tout. Même si, c'est vrai, elle a reçu plusieurs textos de Mlle Audiberti. Mais ça ne prouve rien : quelqu'un d'autre aurait pu les écrire.

Ils dépassent le bureau de la psy. Ils marchent dans le couloir. Sarah entend le bruit de leurs pas. Elle veut être là quand le capitaine ouvrira la porte. Elle feint d'inspirer, étouffe un sanglot, s'éloigne.

— Je me sens mal, je suis désolée !

Et, sans autre forme de procès, elle laisse la psy à ses rêves de victoire sur l'épisode psychotique. Elle fonce dans le couloir. Mme Cortazar ne manquera pas d'interpréter sa fuite comme une autre preuve de son succès.

Les deux gendarmes longent les couloirs obscurs en compagnie du docteur Lune. Les boyaux interminables qui se ferment sur l'immense porte noire.

Le docteur Lune semble frappé par les paroles des gendarmes.

— Alors vous pensez que c'est faux ? Que la mère de Clémence Audiberti vous a menti ?

Le capitaine de Ren hausse les épaules.

— On n'a aucune preuve ni dans un sens ni dans l'autre. Votre patiente avait-elle des raisons de quitter volontairement le centre d'après vous ?

— C'était une jeune femme gravement malade. Elle a pu vouloir finir ses jours ailleurs qu'ici, je le comprendrais.

— Mais il y a son fils. Vous pensez qu'elle l'aurait laissé ?

— Je soigne les membres, mais je ne sais pas grand-chose des états d'âme de mes patients. Je le déplore mais ce n'est pas mon métier. Je ne saurais pas faire.

— Qu'est-ce qu'il y a, ici ?

Le docteur Lune jette un regard bref au gendarme.

— C'est un lieu condamné. Il y a une forte dose d'amiante dans les murs.

C'est alors que Sarah sort de la salle d'attente de la psychologue et fait rouler son fauteuil pour leur bloquer le passage.

— Elles sont là. Il faut entrer.

Les deux gendarmes hésitent, le docteur Lune considère Sarah d'un air étonné. Il le joue si bien qu'un instant, Sarah doute. D'autant que Mme Cortazar, ayant entendu des voix dans les couloirs, vient de faire son apparition.

Sarah sent sur elle son regard lourd. Très lisible contrairement à celui du médecin, il exprime clairement ce qu'elle pense et que Sarah traduit désormais en rapport : « Suite à son accident, Mlle Lemire souffre d'un choc post-traumatique ayant entraîné un épisode psychotique. »

Le docteur Lune ouvre la pièce. Le débarras. Le tapis. Cette fois, Sarah ne le laisse pas s'en tirer à si bon compte.

— Regardez, dit-elle aux gendarmes, sous ce tapis il y a une trappe.

— Non, il n'y a pas de trappe, dit le docteur Lune d'une voix blanche.

— Demandez-lui d'enlever le tapis, dit Sarah.

— Il n'y a rien sous le tapis, dit le docteur Lune.

— Il ment !

— Docteur, veuillez nous montrer de manière à dissiper tout malentendu.

— Très bien, acquiesce le médecin.

Derrière la porte noire, le docteur Lune débarrasse les deux tables de leurs cartons. Il soulève le tapis.

Dessous, il n'y a que le sol nu. Aucune trappe dissimulée, nul passage vers un souterrain où seraient séquestrées des filles perdues.

Il jette à Sarah un regard étrange, le quartier sombre le dispute au quartier étincelant, si bien que son visage paraît appartenir à deux individus distincts.

Derrière la porte, il n'y a rien, rien que ses terreurs d'enfant.

Résignation

Dans le parc, les pensionnaires vaquent à leurs activités ordinaires. Ils tapent le carton, fument de pathétiques cigarettes roulées, attendent. Dans ce clair-obscur où l'ennui règne en maître, dans ce monde en demi-teinte le plus proche possible de ce que pourrait être l'enfer, tous acceptent leur sort en courbant l'échine. Au fond, ils arrivent au centre déjà détraqués, humiliés, battus, déchiquetés. Déjà à bout de souffle. Déjà morts. Contrairement aux autres, les gens de là-bas, ils prennent l'habitude de supporter le pire. Le départ de Clémence a constitué pour elle un dernier sursaut, l'ultime refus de se contenter de son sort. Désormais, Sarah se dit qu'elle doit devenir comme eux. Se résigner.

La voix de Luc Ferrier parvient jusqu'à elle :

— Sarah ? Ça va ?

Tous les patients l'observent d'un air curieux. Ils se trouvent dans la piscine du centre de balnéothérapie. Le kiné est descendu dans l'eau avec elle. Tandis qu'elle s'efforce, en se tenant à lui, de remuscler le bas de son corps, il tâte ses cuisses pour voir comment répondent les muscles.

Visiblement, Luc Ferrier vient de lui poser une question ou de donner une consigne qu'elle n'a pas suivie.

Sarah hausse les épaules.

— Pardon. Je n'ai pas entendu.

Sarah finit par se demander si la psychologue n'est pas dans le vrai, finalement. Elle a dû perdre la raison.

Au fond d'elle, elle l'a toujours su. Dans ses tripes, un coin obscur où la raison ne porte pas : elle est folle. Elle a tout inventé.

— Vas-y, Sarah. Lâche le bord.

Sarah tremble. Le brouhaha s'arrête d'un coup. Sarah a peur, elle ôte sa main droite du rebord.

— La gauche.

Elle tient. Un bref instant, elle esquisse un pas. Samir applaudit. Il est bientôt suivi par les autres. Sarah ébauche un sourire.

Enthousiasmé, Luc Ferrier s'approche d'elle et lui serre la main. Il avait raison : Sarah va remarcher.

*

Des halogènes éclairent les douches d'un éclat de marbre faux. Tout en s'appuyant sur l'épaule d'Alexandre, Sarah ôte sa chemise blanche. Elle voudrait se voir mais il n'y a aucun miroir.

Elle voudrait se voir non par amour, ni satisfaction, mais par désir d'observer sa décrépitude.

Ce parchemin prématurément usé, son épiderme blafard, sa pelade.

Nue, Sarah s'avance vers le bac. Alexandre la soutient par l'épaule et elle s'agrippe à la rampe de la douche. Mais elle se tient tout de même sur deux jambes. Des jambes tremblantes et faibles, comme celles d'un nouveau-né, mais des jambes à la verticale.

Non seulement le miroir lui renvoie l'image d'une femme entière mais d'une femme qui marche. L'acceptation de sa folie était peut-être le préambule nécessaire, la condition *sine qua non* à son retour dans le monde des gens debout.

Pendant une poignée de secondes, elle croit être une reine entourée d'une foule de courtisans aux bijoux étincelants, ou une vedette de cinéma pénétrant dans une salle de bal sous les crépitements des flashs. Mais la lumière crue révèle les veines bleues et gonflées de ses cuisses. Sarah baisse la tête, actionne le bouton de la douche, d'où coule un filet d'eau froide. Elle actionne encore, la pression augmente et l'eau se réchauffe. Elle pleure. Elle s'efforce de faire le deuil du combat qui la faisait avancer, le deuil de sa raison. Ses larmes se mêlent à l'eau qui ruisselle sur ses joues, emportant tout – pleurs, eau et crasse – sous la terre, où elle se rendra elle-même, une fois que tout aura pris fin. La terre qui, indifféremment, abritera ses espoirs, ses désillusions, ses plaisirs, ses tristesses, ses cheveux, ses ongles. Le filet d'eau tiède s'arrête.

Ensuite, Alexandre aide Sarah à se coiffer. Il entreprend de dompter ses boucles noires emmêlées. Il tire, certains cheveux restent sur la brosse. Elle en perd beaucoup mais ils sont si épais qu'ils continuent à former une crinière sur ses épaules et son dos. Il les peigne soigneusement.

Elle se regarde. Le noir corbeau de ses tresses lui donne un air un peu sauvage.

Alexandre couvre ses paupières de rose pâle. Elle n'a jamais appris à se maquiller. L'aide-soignant passe plusieurs couches, puis remonte jusqu'aux sourcils.

Il met du mascara sur ses cils. Passe le contour des yeux au crayon noir.

Il peint ses lèvres en fuchsia.

Il entreprend d'enlever son bas de jogging. Il a été blanc un jour, il a pris la couleur des murs : gris crasse.

Il lui enfile des collants noirs.

Il embrasse ses jambes.

Sarah fait taire la voix de Clémence, qui résonne en elle, et elle regarde gravement Alexandre.

— Je me suis trompée. Sa mère a raison, Clémence a dû partir. Après tout, je ne la connaissais pas si bien que ça.

Il l'observe sans répondre. Son expression se voile d'inquiétude, ou d'une légère contrariété. Puis, il dit :

— Je sais. Enfin, je m'en doutais.

— Ils ont raison, l'immobilité m'a rendue cinglée. J'ai même cru, parfois, que c'était toi qui l'avais prise. Quand j'ai vu tes mains couvertes de griffures.

Avec la lentille infrarouge de sa caméra imaginaire, elle enregistre l'instant précis où elle rend les armes. Elle cesse de se battre. Et sa résignation lui apporte un soulagement immense. Elle s'enivre de sa soumission. Ils ont raison, elle est folle.

Le vestibule des lâches

Au centre, à la tombée du soir, certains se mettent à gueuler. Les fous, les désespérés, ceux qu'on appelle les « cassos ». Le Fou hulule comme un oiseau de nuit, il prononce des phrases sans suite rythmées comme un slam. Il menace, tempête, puis chuchote alternativement.

— On vit des temps étranges et bouleversants, dit-il, où les âmes marchent sur la terre, où les semelles piétinent la lune, où l'esclave devient le maître et où Jésus s'est réincarné en porc.

« Et le bétail, poursuit le Fou, le bétail dans l'abattoir d'Alès, vous avez vu ?

« Les chevaux, crâne fracassé au pistolet.

« D'autres suspendus avant d'être saignés, toujours en vie.

« Certains sont encore conscients lorsqu'ils sont suspendus pour être saignés.

« Leur interminable agonie. Leurs cris. Leurs pleurs.

« Les moutons dont on cisaille la gorge. Vivants.

« Découpés en morceaux sous les yeux des leurs.

« Les bovins égorgés à même le sol.

« D'autres, suspendus par une patte et saignés.

« Les cochons asphyxiés dans une fosse à CO_2. Saisis de convulsions, hurlant, affolés. Essayant de fuir.

« La vie qui part dans une orgie de hurlements et de sang.

« Et si les images nous bouleversent autant, c'est parce que nous ne sommes pas dupes.

« Nous sommes les cochons gazés, les chevaux dont on fracasse le crâne.

« Et l'abattoir d'Alès, comme le centre de L'Herbe bleue, est l'antichambre du monde.

Et d'autres conneries, à se pendre.

Sarah se bouche les oreilles pour ne plus entendre les gémissements du Fou.

Puis, progressivement, elle se sent épuisée. Sa tête devient si lourde qu'elle n'arrive plus à la soulever, ses paupières sont lestées de plomb. Dans un état de semi-conscience, Sarah sent des bras la toucher. On remonte le drap sur elle pour qu'elle ne prenne pas froid. Elle voudrait ouvrir les yeux, elle voudrait parler, remercier la personne qui se tient près d'elle et veille sur son sommeil. Mais tout mouvement, même infime, est devenu impossible.

Elle sent qu'on l'emmène hors de sa chambre sur un lit roulant médicalisé. Elle longe des couloirs, le trajet semble interminable. Peut-être gagne-t-elle en rêve la quatrième dimension. Peut-être parcourtelle des couloirs qui, apparemment en ligne droite, forment une boucle qui tourne sans fin sur elle-même.

Elle se tient sur le seuil entre le réel et le rêve. Les frontières se brouillent. Une *Quatrième Dimension*, la dimension crépusculaire. Un des épisodes lui revient à cet instant. Il rappelle risiblement sa propre histoire. Une jeune conductrice a un accident bénin. Elle reprend sa route où elle ne cesse de croiser le même auto-stoppeur. Cherchant de l'aide, elle fait monter près d'elle un soldat en permission et s'aperçoit alors qu'elle est la seule à voir l'auto-stoppeur. Le soldat, la croyant folle, prend la fuite. En dernier recours, elle téléphone à sa mère et apprend que celle-ci est tombée en dépression depuis la mort de sa fille dans un accident de voiture.

Et tandis que vocifère le Fou, elle s'égare, ruminant quelque pensée sans suite, perdue dans le fil intermittent de la nuit.

ACTE III : L'ENFER

Je le ferais si j'étais fou, et je le suis presque.

ALFRED DE MUSSET, *Lorenzaccio*,
acte I, scène 3.

Semi-conscience

Un claquement de portière.

Sarah ouvre un œil. Quelle heure est-il ? Il commence à peine à faire jour.

Elle est debout dans un jardin soigné. Dort-elle encore ?

Elle aurait été tentée de penser qu'elle rêve puisqu'elle se tient sur ses jambes, mais un détail lui interdit de le croire tout à fait : deux personnes la maintiennent en équilibre en la portant sous les bras. Elle sait qu'ils sont deux parce qu'ils ne font pas la même taille. La personne de gauche est sensiblement plus petite que celle de droite, si bien qu'elle penche dangereusement sur le côté.

Dans la pâle lumière de l'aube, elle distingue des massifs de fleurs. Des roses trémières le long d'un mur. Une allée en pierre mène vers une maison bien tenue. Une façade ocre, un toit en tuiles déclinant différentes nuances de rose, des volets bruns, des voilages aux fenêtres. Une petite maison agréable et proprette.

Aussitôt que Sarah a franchi le seuil, les deux personnes descendent par un escalier très raide et la conduisent dans une cave.

La pièce humide est plongée dans la pénombre car seule une minuscule ouverture, au ras du plafond, filtre la lumière du jour. Sarah sent qu'on la soulève à nouveau du sol.

Elle se secoue. On la tient plus fermement. Sarah a toujours détesté qu'on l'oblige à faire des choses. Elle pique des colères. Le psychologue lui disait toujours :

— Il faut contrôler vos nerfs, Sarah. Il faut comprendre que les gens ne vous veulent pas de mal. Calmez-vous : ce qu'ils font, c'est pour votre bien.

Encore ensommeillée, et certainement droguée, Sarah sent dans son crâne une explosion de peinture écarlate. Elle se débat. Elle frappe autour d'elle à l'aveuglette, projetant son front, ses pommettes devant elle.

Elle heurte le menton d'un homme. Il crie de douleur, se plie en deux. Sarah frappe sa joue avec sa tête. L'homme la retient. Il la gifle à toute volée. Le coup lui procure un élan de chaleur intense.

Ils s'y mettent à deux. Ils allongent Sarah de force sur un lit. Ils saisissent ses poignets. Ils l'immobilisent.

Ils attachent ses poignets et ses chevilles avec de la corde très serrée. Ils lui mettent du scotch sur les lèvres. Ça fait mal.

Elle hurle, elle se débat. Elle essaie de griffer les murs. Une rébellion inutile, pathétique. Soudain, elle ne sent plus rien, juste un chiffon d'éther posé sur ses voies respiratoires. Son corps tout entier devient lourd et mou. Elle se laisse aller. De toute façon, les forces qui l'emmènent vers la nuit sont bien trop puissantes pour qu'elle songe à résister.

Elle se réveille. Plusieurs heures plus tard, plusieurs jours ? Elle n'en a pas la moindre idée. Comme lors de son réveil à la suite de l'accident, elle a perdu toute notion du temps.

À mesure que ses yeux s'habituent à l'obscurité et que les brumes du sommeil se dissipent, elle commence à réaliser ce qui lui arrive. On l'a droguée et, à son tour, enlevée. Elle se répète ces mots, « enlèvement », « séquestration », « disparition », pour matérialiser son effroi. Car, à la vérité, elle ne ressent rien. Sa tête reste vide, son organisme inerte.

Une cave humide, froide et crasseuse, dont l'odeur prend à la gorge. La pièce sent les déjections. Il y a, sur les murs, de suspectes traînées sombres, comme une peinture abstraite. Le sol paraît noir et glissant. Poisseux. Le cachot est obscur, sans fenêtre. Les gaines d'aération sont obstruées. Des pigeons y ont bâti leur nid.

Autres traces. Du sang coagulé, peut-être.

Un seau dont émane un parfum pestilentiel, qui ne dissimule pas son usage. Bordures charbon.

Sur l'un des murs, dévorée par l'humidité, se dresse une immense armoire à pharmacie. À travers les portes vitrées, Sarah voit toutes sortes de médicaments. Boîtes de compresses, désinfectant, aspirine et beaucoup d'autres choses dont elle ignore l'usage. Sarah se dit qu'elle n'était pas folle. Elle en éprouve un soulagement bref. Irrationnel.

Une fois explorés les abords immédiats de son lit, Sarah se tourne sur sa gauche. Elle met quelques instants à décrypter le spectacle de désolation qui s'offre à elle. Une parodie d'hôpital.

Deux lits médicalisés sont installés côte à côte. Pas des lits dernier cri, de ceux qu'elle a connus au centre, avec hauteur variable, relève-buste et relève-jambes électriques, équipés d'une prise de terre et d'une télécommande et munis d'un matelas anti-escarre, d'un lève-personne et d'un verticalisateur.

Il s'agit de matériel un peu vieillot mais de qualité, avec des barrières amovibles et dont elle pourrait ajuster la hauteur, si elle possédait la télécommande ad hoc. Draps blancs, usés jusqu'à la corde, oreiller, fine couverture visiblement dérobée au centre.

Le deuxième lit est disposé presque exactement comme dans la chambre 34.

Derrière les barrières métalliques relevées, elle distingue une autre silhouette. Sur le matelas, recroquevillée, chiffonnée, martyrisée. Sarah met quelques instants à bien comprendre qu'il s'agit d'un être humain, et non de quelque bête éviscérée et dépecée.

Ni ses poignets, ni ses chevilles ne sont entravés. Pourtant, elle ne bouge pas plus que si elle portait des chaînes.

Elle évoque une toile, un clair-obscur. La femme semble avoir été croquée au crayon, pourtant elle n'est pas seulement en noir et blanc. Elle est rouge aussi, avec des aplats de couleur – jaune, vert, bleu. Le tracé est bizarre. Il y a des creux, des traits, des cavités, dans des endroits normalement lisses et roses.

Mentalement, Sarah essaie de redessiner ce corps. Mais les yeux sont tournés vers elle. Des yeux à la pupille bleue, soulignés par un crayonné noir et gris sombre.

Malgré tout ce qui l'éloigne de la femme qu'elle a été, au point que leurs dissemblances sont plus fortes que leurs similitudes, Sarah reconnaît, ou plutôt devine, Clémence Audiberti.

Ablutions

Un filet rouge s'écoule en continu de l'ombre en noir et blanc qui, un jour, a été Clémence. Elle porte une blouse de malade ouverte, remontée au-dessus de la poitrine. Ses gestes ont changé.

Contemplant ces couleurs nouvelles, Sarah se rappelle des souvenirs d'enfance. C'était à Paris devant Beaubourg. Avec ses parents, ils avaient fait une visite de groupe.

Dehors, des caricaturistes arrêtaient les passants et dessinaient leur visage. Dedans, étaient exposées des toiles. C'était la première fois que Sarah entrait dans un endroit où il y avait autant de peintures. Elle avait dit :

— Mais ça représente rien du tout, ça.

Sa mère est blonde mais avec des yeux bleus plissés comme une Asiatique. Un peu mince.

Elle regarde Sarah et dit :

— Non, pas vraiment. C'est comme une peinture d'enfant mais ce n'est pas une peinture d'enfant.

Sarah se dit que Clémence, elle qui adorait la

peinture, n'aurait jamais commis une pareille erreur de jugement, même enfant.

Sarah tourne la tête pour apercevoir la Clémence d'aujourd'hui et tenter de faire émerger celle d'hier. Elle a l'air d'être morte. Elle a les cheveux en désordre. Ses yeux paraissent vidés de leur couleur. Leur bleu n'évoque plus le ciel ni la mer. Même le contour de l'iris est devenu imprécis. La Clémence qui aimait peindre n'aurait certainement pas aimé que ses chairs soient ainsi rapiécées, pleines de trous et de déchirures.

Sur ce visage, Sarah tente de lire ce qui l'attend. À quel genre de maniaque a-t-elle affaire ? Les faits divers se pressent dans son esprit.

Elle perd contenance en observant les blessures qui s'étalent sur la peau de Clémence. Son corps, Sarah le connaît par cœur pour avoir été sa compagne de chambre et pour en avoir admiré la beauté. Elle sait tout de sa cicatrice et de son sein absent. Mais là, de nouvelles blessures sont apparues. À y bien regarder, Clémence a été ouverte et recousue au niveau du rein gauche. Elle a une cicatrice dont les fils sont en train de se résorber. Son sein absent souffre de plaies nouvelles. Avec horreur, Sarah y reconnaît une brûlure de cigarette. La blessure a été recouverte de Bétadine.

Vente d'organes ? Pervers qui répare d'une main ce qu'il brise de l'autre ?

Elle se rappelle Amanda Berry, enlevée à seize ans, battue et violée, accouchant d'une petite fille durant sa détention.

Elle se rappelle Sabine Dardenne qui, à douze ans, a été enlevée par Marc Dutroux, vivant dans quatre mètres carrés aménagés dans une cave, dont elle ne sortait que pour être violée et faire le ménage.

Colleen Stan, enfermée pendant sept ans, vingt-trois heures sur vingt-quatre, dans une malle placée sous le lit du couple qui la séquestrait.

Lydia Gouardo, huit ans, violée, torturée par son père adoptif et séquestrée dans leur maison pendant vingt-huit ans durant lesquels elle a eu six fils, portant tous en premier, deuxième ou troisième prénom celui de son bourreau. Tout le village, école, médecins ou services sociaux, était au courant. Personne n'est intervenu. Et lors de ses nombreuses fugues, ce sont les gendarmes qui l'ont ramenée chez elle.

Tant d'autres qu'elle a oubliées. Et celles dont elle n'a jamais entendu parler car la police ne les a pas retrouvées. Toutes ces femmes enterrées sous les fosses à purin, à l'arrière des jardinets, dans des forêts. Et qu'on ne retrouve jamais. À ces images inaperçues, dont Clémence fait désormais partie.

À quel type de prédateur sera-t-elle confrontée ? Pourquoi ces lits d'hôpitaux ? Pourquoi ces médicaments ?

La porte s'ouvre. Clémence se crispe. Sarah a peur, elle aussi, mais elle ne ressent pas encore cette terreur instinctive, viscérale, de sa compagne.

Un homme s'approche. Il n'a pas un regard pour Clémence. En deux enjambées, il est près de Sarah.

Ses lunettes reflètent une lumière si vive qu'il est d'abord impossible de discerner ses yeux. Sa bouche est prolongée par deux plis qui plongent jusqu'au menton. Un sourire grotesque, inversé. Les cercles lumineux de ses lunettes, ses cheveux – une apparition aux frontières du fantastique.

Quand le reflet cesse de l'aveugler, elle reconnaît Luc Ferrier.

Réveil

Le masseur-kinésithérapeute a un cutter à la main. Sarah veut crier. Le scotch empêche les sons de franchir sa gorge. Ils retentissent quelque part, au fond d'elle. Le fait de demander de l'aide libère la terreur qu'elle avait réprimée jusque-là. Maintenant elle tremble, elle pleure.

Elle entend le bruit d'une matière qu'on tranche. Ignore, tant elle cède à la panique, s'il s'agit de sa peau. Attend pour le savoir que la douleur remonte de ses nerfs à son cerveau.

Mais elle ne perçoit que le froid. Luc Ferrier est en train de découper ses vêtements.

Ses cuisses sont désormais ouvertes et nues. Il découpe la culotte. Après, elle a mal. Il la gifle.

Près d'elle, Clémence a le visage tourné vers le plafond. Elle est ailleurs, loin de la pièce obscure, éclairée par une meurtrière.

Sarah jette des regards inquiets du côté du kiné. Elle attend un coup, une insulte, qui ne vient pas. La tension ne s'extériorise dans rien de précis. Ils se regardent. Luc Ferrier la contourne. Il s'éloigne, revient.

Sarah est nue. Elle sent que Luc Ferrier lui écarte les cuisses. Elle ferme les yeux, attend que leurs organes entrent en contact. Mais l'étreinte n'a pas lieu.

Au lieu de la pénétration attendue, elle perçoit sur son épiderme une sensation glacée. Elle pense couteau, lame, instruments. Mais il ne s'agit que d'eau. Luc Ferrier a posé un seau vert sur le lit et, avec une éponge, il entreprend de laver Sarah.

Sarah ne cherche pas à s'échapper, à fuir dans un coin de souvenir ou d'imaginaire, à s'absenter d'elle-même. Elle est là. À poil dans une pièce qui sent l'humidité, le détergent, la pisse et la peur. Elle regarde Luc Ferrier la palper, explorer ses recoins secrets. Elle enregistre chacun de ses gestes. Elle n'oublie rien. Elle essaie de comprendre.

L'éponge laisse sur son corps des traces de mousse, que le kiné enlève en balançant sur elle le contenu du seau. Le jet est si inattendu et brusque qu'elle le perçoit sur ses jambes.

Ensuite, il enlève le drap trempé et le remplace par un autre, en utilisant la même technique qu'au centre : il fait rouler Sarah sur la droite, y glisse le nouveau drap, puis il la fait rouler sur sa gauche. Il observe son épiderme, les sourcils froncés, visiblement très concentré. Que cherche-t-il ? Quel est son but ? Sarah finit par comprendre qu'il vérifie d'éventuels débuts d'escarre. Il masse ses pieds comme le faisait Alexandre. Il masse ses mollets, ses cuisses. À nouveau, elle sent la pression de ses doigts sur elle.

En l'observant, elle tente de déterminer ses motivations. Avec ses lunettes, il paraît plus sérieux. Ses yeux semblent plus bleus, grossis à la loupe. Sa rondeur lui confère toujours une allure débonnaire. Mais, alors qu'au centre il réalisait les actes de soin de façon à la fois habile et mécanique, il paraît ici transfiguré par l'effort. Il tire sur le scotch qui paralyse les lèvres de Sarah. Un coup sec. Ses lèvres se fendent et saignent. Il va chercher de la Bétadine dans l'armoire à pharmacie, en badigeonne une compresse stérile et tamponne les coupures.

Elle se souvient d'un épisode dans la vie de Lydia Gouardo. Elle l'a lu dans un magazine en papier glacé, chez le coiffeur, happée par l'horreur du témoignage. La femme, aujourd'hui quinquagénaire, y expliquait que sa belle-mère, pour la punir, l'avait jetée dans une baignoire d'eau bouillante, puis qu'elle avait frotté ses jambes à la brosse. Sa peau partait en lambeaux. Après cet événement, son père l'a soignée. Il a désinfecté ses plaies et changé ses pansements. C'est à la suite de ces soins qu'il a commencé à la violer.

Sarah s'interroge sur la proximité entre sexe et blessures, entre sexe et soins médicaux. Luc Ferrier désire-t-il, dans un même élan, la soigner et la prendre ? Ressent-il entre ces deux actes un lien secret ? À bien le regarder, le kiné ne paraît absolument pas excité. Aucun désir ne se lit sur les traits de son visage, ni dans l'empressement de ses gestes. Au contraire, il se comporte de façon à la fois posée et distante. Sans affect.

Pour Sarah, lire en lui constitue pourtant une nécessité vitale. Comprendre ce qu'il veut, ce qu'il n'a pas et qu'elle pourrait lui faire miroiter pour s'échapper.

Mais l'homme reste muet. Illisible.

Après un silence insupportable, il prononce enfin quelques mots :

— Pour éviter les escarres, tu devras faire une heure d'exercices par jour. Tu tiens en position assise, maintenant. Alors n'oublie pas de te redresser et de changer de côté.

Elle hoche la tête.

— Il y a un seau pour déféquer. Par ailleurs, je mettrai un bassin pour l'urine. Je te détacherai les mains dans la journée. Je n'attacherai peut-être qu'une seule jambe si tu es sage. Comme ça, tu pourras faire des petits mouvements avec l'autre, dans la mesure du possible.

Elle acquiesce à nouveau. Sa paraplégie conduira peut-être Luc Ferrier à relâcher son attention, même s'il est le mieux placé du centre pour connaître chacune de ses avancées, puisque c'est lui qui, jour après jour, les a provoquées. À chaque séance, il lui a fait passer une nouvelle étape dans le chemin ardu vers la verticalité. À chaque séance, il l'a encouragée, il l'a incitée à se tenir debout, solidement campée sur deux jambes. Lui seul, contre tous, a cru qu'elle pourrait remarcher. Lui seul a eu foi dans ce qui semblait impossible. Et cette foi, indubitablement, a soutenu Sarah. Cette foi lui a fait soulever des montagnes. Elle a été son muscle le plus puissant, elle lui a tenu lieu de jambes.

Dans la nuit incompréhensible qui l'a ensevelie, Sarah tente de trouver du sens à ce qui advient. Alexandre a essayé de lui apprendre à accepter ce corps nouveau et entravé, il a caressé et baisé ses blessures ; Luc l'a obligée à devenir autre chose, à plier ses membres à son désir. Quant au docteur Lune, il a tenté de lui insuffler encore une troisième voie, celle de la spiritualité bienveillante. Le premier lui a proposé la compassion, le second la volonté et le troisième l'esprit. Elle a erré entre ces trois chemins et, aujourd'hui, se demande si l'un d'eux peut la mener vers la sortie de l'enfer.

— Pourquoi moi ?

Luc Ferrier paraît surpris de sa question. De façon générale, tous les problèmes ne relevant pas de la machinerie corporelle semblent toujours le prendre au dépourvu. Il marque une pause, se demande peut-être à quel point il est tenu de répondre.

— Mais c'est toi qui es venue ! Tu t'es jetée dans la gueule du loup si je peux dire. Moi, je voulais Clémence pour…

Il hésite, il cherche les termes appropriés :

— … satisfaire un commanditaire. Et tu n'arrêtais pas de fouiner. Je t'ai vue me voler mon badge, au bord de la piscine. Tu seras donc en tout point plus rentable ici que là-bas. Toi aussi, tu entres dans la loi de l'offre et de la demande.

Elle observe Luc Ferrier, cherchant à lire la folie dans ses yeux. Mais il reste, même à elle qui se pique d'une acuité humaine hors du commun, une page blanche.

— Qu'est-ce qui va se passer ?

Il hausse les épaules.

— Je vais faire un retour sur investissement.

Clémence

Le regard de Sarah s'habitue à l'obscurité. Elle distingue, sur les murs, des graffitis et des griffures. Elle entend un gémissement. Clémence.

Sarah l'interpelle.

— Oh, Clémence ! Clémence ! Tu m'entends ?

Elle hausse la voix :

— Clémence ?

Clémence offre un visage inexpressif, l'air perdu, hagard, de celle qui voit plus loin que les murs, les portes, la cour.

— Faut qu'on se tire d'ici. À deux, on peut le faire.

Sarah se met à lui parler pour la faire revenir à elle. Elle lui raconte son départ avec Alexandre. Son espoir de découvrir où « le docteur Lune » la séquestrait. Elle raconte à quel point elle s'est fourvoyée. Et tandis qu'elle parle, elle essaie de remettre de l'ordre dans ses idées. Tout est si confus. Pourquoi, aveuglée par le docteur Lune, n'a-t-elle rien vu de la folie de Luc Ferrier ?

Au fond, la psychologue avait raison : elle a peut-être haï Virgile Debonneuil parce qu'il a refusé de croire qu'elle remarcherait un jour. Elle n'a pas inventé de séquestration, elle s'est juste, tragiquement, plantée de coupable.

Mais Clémence reste inerte. Elle s'est perdue quelque part, loin du centre et de leur ersatz d'hôpital. Elle essaie de remonter plus loin, de ranimer ses souvenirs.

— La vie continue, dehors. C'est dur à imaginer mais c'est vrai. Le monde est là, derrière les murs. Il continue à tourner. Il y a les rues, le bitume qui brille après la pluie, le ciel d'hiver. Tu te souviens ?

Sarah parle autant pour elle-même que pour Clémence car, vu d'ici, de sous la terre, l'existence du monde a perdu de son relief.

— Il y a un petit vent sec. Tu enfiles un col roulé. Je sais plus trop s'ils font encore des cols roulés, remarque. Et puis, ça va si vite, là-bas. Bref. Même avec un col roulé, tu sens la morsure du zef qui s'insinue. Il commence à pleuvoir, t'ouvres ton parapluie. C'est toujours des merdes, ces trucs-là. T'as une baleine sur deux qui est pétée et, au moindre coup de vent, il se retourne. Tu le remets, ça protège quand même un peu. Le sol glisse, tu fais gaffe à pas te croûter. Tu passes sur un pont. T'as déjà vu les ponts de Paris ? Ils sont tous beaux, à leur manière. Moi, mon préféré, c'est celui d'où l'on peut voir Bercy d'un côté, de l'autre Notre-Dame. Tu vois lequel je veux dire ? J'ai jamais su leur nom. La Seine est là, sous tes pieds, noire, glacée, immobile. La pluie s'arrête. Le vent est encore plus fort ici, au milieu du pont, il s'engouffre de partout. Et toi, tu t'arrêtes là, au milieu… Tu regardes et putain, que c'est beau !

En parlant à Clémence, Sarah ressuscite et convoque un monde absent. Elle revoit le pont, la pluie et le vent. Elle ne se laisse pas bercer par le son de sa propre voix.

Puis, quand les mots pour décrire le réel se sont taris, elle fouille dans la palette de couleurs de Clémence pour peindre le monde réel, qui l'est de moins en moins.

Elle se peint, dressée au-dessus de l'eau. Elle ôte ses vêtements. Un à un. Lentement. L'imperméable noir et luisant. À la Seine, le pull à col roulé. À la Seine, les bottines. À la Seine.

Elle enlève la boucle de sa ceinture. À la Seine. Le jean usé. À la Seine. Le tee-shirt, les sous-vêtements. Elle les jette par-dessus le pont. Ce pont qui enjambe les deux rives, d'où l'on voit Notre-Dame et Bercy. Le plus beau pont de Paris, dont elle n'a jamais su le nom et qu'elle imagine car, dans la vraie vie, elle ne l'a jamais vu et ne le verra jamais.

Le froid lui mord la peau. Elle tourne et danse sous le vent glacé de l'hiver. Elle offre son visage à la pluie qui ruisselle sur ses joues, sur ses seins, sur ses cuisses. Elle se dissout. Coule avec elle.

Fuit le long de la chaussée, de l'armature en fer du pont, rejoint le fleuve.

La Seine.

Tout ce qu'elle est, a été se noie dans l'étendue noire.

Se perdre. S'annihiler.

Disparue, la douleur.

Les murs se contractent et enflent. Ils sont vivants, ils respirent. Un organisme. Une matrice chaude, humide, accueillante.

Par intermittence, le corps de Sarah se rappelle douloureusement à elle. À l'ici et maintenant : la nuit noire du cachot.

Puis, la porte s'ouvre. Un rayon de lumière filtre dans les ténèbres.

*

Des pas légers descendent l'escalier. Des pas de femme.

Sarah tourne la tête. Presque sans bruit, elle voit une ombre s'approcher d'elle. Elle veut crier, lui hurler de la détacher, de la sauver, mais quelque chose l'en empêche. L'ombre porte une blouse d'infirmière.

Elle se déplace d'un point à un autre selon un itinéraire logique destiné à lui faire accomplir le moins de pas possible. Elle porte à la main deux plateaux, de ceux que l'on sert à l'hôpital, avec leur couvercle en plastique pour conserver la chaleur.

Elle installe la tablette de Clémence, redresse son lit en position inclinée pour faciliter l'ingurgitation. Elle ouvre le couvercle.

Clémence ne bouge pas. Puis, d'un bond, elle se jette sur son repas et le dévore avec ses doigts. L'ombre la regarde faire sans aucune expression.

Puis elle s'approche de Sarah. Elle se montre beaucoup plus prudente. Elle commence par déposer le plateau sur sa tablette. Mais elle laisse la tablette à distance.

Elle remonte le lit. Mais elle laisse à Sarah les poignets et les chevilles entravées. Elle avance la tablette. Là, Sarah a la déception de découvrir une assiette et des couverts en plastique. Évidemment, à quoi s'attendait-elle ? On n'allait pas lui fournir un couteau aiguisé de boucher.

Dans une autre situation, Sarah aurait pu éclater de rire. La composition du repas semble avoir été réalisée avec un nutritionniste. En entrée, des tomates cerises. Ensuite, une tranche de jambon et des pâtes. En dessert, un fruit. Sans oublier le morceau de fromage sans emballage. Cette nourriture, Sarah ne la connaît que trop bien : elle a dû être volée au centre.

— Sage ? demande l'ombre.

Sarah hoche la tête. L'ombre s'assoit près de son lit. Elle commence à la nourrir à la cuillère. Sarah ouvre la bouche, mastique, déglutit. Si elle feint l'obéissance, elle ne perd pas une miette des expressions de l'ombre.

Le repas ainsi donné bouchée par bouchée est long et fastidieux.

Sarah aperçoit l'heure sur la montre que la femme porte au poignet : huit heures pile. C'était aussi l'heure du petit déjeuner à L'Herbe bleue. Sans doute, en déduit-elle, leur sert-on les repas à intervalles réguliers, comme au centre. Des portions réfléchies, équilibrées.

Elle n'y tient plus :

— Pourquoi ? Qu'est-ce que je fais là ? Il est encore ici ?

L'ombre ne répond qu'à la dernière question : elle fait non de la tête. Luc Ferrier a dû prendre son service au centre.

— Alors on peut s'en aller ? Libère-moi. Libère Clémence et on s'en va. Toutes les trois.

À nouveau, l'ombre fait non de la tête.

— Mais pourquoi ? Pourquoi ?

L'ombre se relève. Dans ses yeux ne brille que l'obéissance. Sarah n'en obtient pas davantage. Une seule certitude crève les yeux : la prison de cette femme est devenue intérieure.

Imagination

Dès que l'ombre revient dans la pièce grise et glaciale, Sarah comprend qu'elle ne survivra pas. La folie viendra pour elle aussi. Comment Clémence, cette fille si prodigieuse qui a repoussé pour elles deux les limites de leur chambre, repoussé de ce fait les limites de leur existence immobile, a-t-elle pu se laisser dévorer ? Dans quel monde de cruauté obscure a-t-elle pu s'égarer ?

Elle se demande quoi faire pour contrer la folie et la servitude. Dans un coin, Clémence gémit. Sarah ressent un violent élan de désespoir. Alors, de la même manière que Clémence l'a fait pour elle jadis, Sarah décide d'agrandir les murs, d'en faire un lieu vivable pour Clémence. Elle se met à décorer l'endroit avec des mots. Elle le repeint avec des phrases. Elle remplace le drap troué par des draps de soie. La couverture par une couette en plumes.

Quand le sommeil commence à disloquer ses pensées, elle prend les cris des rats et de Clémence pour des crissements de plume et de soie.

Autour du lit, pour se donner une impression

d'espace, elle fait couler la mer. Devant le seau qui leur sert de chiotte, elle dessine un gros nuage. Pour rejoindre le seau sans passer par le nuage, elle construit un pont en forme de point d'interrogation, un petit pont de bois verni. Elle plante des fougères au-dessus du trou, et des grands arbres dont elle se dit qu'ils finiront par éclater ce plafond de misère. Elle plante des baobabs. Parce qu'ils poussent racines vers le ciel, et qu'elle se dit qu'ils pourront plus sûrement saper les murs de sa prison. On raconte que si les baobabs poussent comme ça, c'est parce que Dieu a voulu les punir de leur orgueil. Trop gros, trop forts, ils montent si haut vers le ciel qu'ils ont cru pouvoir chatouiller Dieu, alors Il les a punis en les arrachant et en les plantant à l'envers.

Mais Sarah, pour la prison, ça fait bien son affaire, ces racines célestes. Après, elle enroule du lierre aux barreaux de la fenêtre, elle fait voler des nuées d'oiseaux derrière le carré de ciel qu'elle aperçoit.

Et puis, à un moment où elle se ment encore, elle veut mettre les bouts. Elle achève donc le tableau en tendant au-dessus de son lit, pour cacher le plafond crasseux qui lui renvoie sa gueule d'ombre, une gigantesque voile étoilée.

Quand les geôliers tournent le dos, elle largue les amarres et décampe. Elle avait raison : on leur sert les repas à heures fixes, les mêmes que ceux du centre. Lorsque Luc Ferrier est en service, l'ombre s'en charge ; quand il est libre, c'est lui qui vient apporter les plateaux. Aussi étrange que cela paraisse, il n'y a que peu de différences entre eux ; et toutes, superficielles. Car l'ombre comme Ferrier ne tirent manifestement aucune jouissance de leur domination, ni aucun déplaisir d'ailleurs. En revanche, l'un et l'autre attachent un soin maniaque à les nourrir. Et Sarah comprend vite que refuser de manger est un moyen très sûr d'énerver le kiné.

Cette fois, elle songe à la sorcière des contes, engraissant Hansel et Gretel pour mieux les dévorer. Mais les jours passent, rythmés par l'heure immuable des repas, l'heure des exercices, toujours supervisés par Luc Ferrier, vers dix-neuf heures, après le repas du soir.

Entre chaque repas, Sarah profite de leur solitude pour continuer à s'exercer. Des petites pressions des cuisses. Le geste est minimaliste, presque imperceptible, mais elle le répète jusqu'à l'épuisement. Mille fois, deux mille fois. Et au fil des heures, elle sent les muscles répondre davantage. Elle comprime aussi ses fessiers, maintient une minute, relâche, recommence inlassablement. Alexandre lui a donné mille conseils pour se muscler sans y penser, n'importe quand, dans n'importe quelle position. Elle pense à lui. Ce moment où ils se sont touchés. Il est le seul homme qui, pour elle, ait un visage. Les autres types avec qui elle a couché n'ont dans les yeux aucune lueur d'humanité. Lui seul émerge de ce flot d'étrangeté. Il la regarde vraiment, avec ses blessures et ses infirmités, comme si elle existait toujours. Elle sent son amour pour lui grandir à mesure qu'il la rejette. Elle n'est pas dupe. Connaît l'inévitable attachement des victimes pour leur bourreau. C'est idiot. Toujours le corps qui répond là où le cerveau recommande de se taire.

Et chaque nuit, pour ne pas devenir folle, elle visite une nouvelle terre, une zone libre, un nouveau port, et accoste sur de nouvelles rives, et voit de nouveaux visages. À la manière d'un livre qu'elle se serait inventé toute seule. Et voit encore des choses pas croyables, des filles à la peau noire et aux yeux d'or, des coquillages étincelants, des poissons aux écailles rouges, des sirènes, des oiseaux aux lèvres de femme, des femmes transformées en feuille, des arbres à plumes.

Elle peut dès que ça lui chante échapper à la détention.

Et puis voilà qu'il faut lever les voiles. Et les voiles, cette fois, ce ne sont plus celles de son lit d'étoiles mais les vraies voiles crasseuses, déchiquetées, du monde extérieur.

Elle va partir aussitôt qu'ils auront ouvert cette porte. Quel visage aura la campagne lorsque Sarah sortira ? Sera-t-elle couverte d'un voile de soleil ou fera-t-il aussi noir que dans la cellule ? Combien de temps s'est-il écoulé depuis que le kiné… Y aura-t-il même une campagne ou n'est-ce plus qu'un rêve ? Dehors, le noir ; ici… Quelle heure sera-t-il quand ils la relâcheront ? Elle a faim. Elle a faim. Elle est l'unique survivante. Elle brille de sa propre lumière secrète. Elle irradie, elle casse les murs du cachot.

Au début, Sarah entend les ongles de Clémence gratter. Gratter les murs sans relâche. Puis, au fur et à mesure, plus aucun son ne sort du cachot. Rien. À mesure que Clémence se tait, Sarah sent monter sa colère.

Quand Sarah retournera à l'air libre, elle aura absorbé toute l'obscurité du dehors. Elle a si faim qu'elle avalerait les ténèbres. Si un jour elle sort de la cave, elle aura absorbé toutes les ténèbres à l'intérieur d'elle-même.

Elle aura bouffé la nuit du cachot.

Attente

L'attente devient insupportable. Il s'est passé huit jours – Sarah les a comptés – depuis que Luc Ferrier l'a enfermée. Huit jours suspendus. À la nourrir à heures fixes. À l'examiner chaque jour pour traquer les escarres. Les thromboses veineuses. À désinfecter les plaies de Clémence, à se pencher pour ôter les dernières sutures de sa cicatrice.

Et rien ne vient. Ni coups ni viols. Rien de ce qu'il est attendu dans ce type de situation. Natascha Kampusch. Trois mille quatre-vingt-seize jours au cachot. Ses rapports duels avec un bourreau sans lequel elle ne s'imagine plus exister. Sarah connaît tout de ce populaire syndrome de Stockholm. Mais elle ne ressent pour Luc Ferrier rien de ce genre. Pas encore, peut-être. Et, manifestement, le kiné ne souhaite lui imposer ni amour ni vénération. Il se contente de la maintenir en vie, voire même dans la meilleure santé possible.

Sarah appelle Clémence mais Clémence ne répond pas. Elle gémit parfois, un peu, comme si des bribes de cauchemar lui revenaient par intermittence.

Sarah appelle à l'aide. Peut-être quelqu'un du dehors l'entendra-t-il. Elle ne crie pas pour elle, elle crie pour sa compagne qui meurt sous ses yeux. Clémence est métamorphosée. Son visage est creusé, sa peau est devenue verdâtre et grise comme les murs lépreux du cachot. On ne voit plus que ses os, ses tendons, les parties noueuses. Son corps est devenu un tronc d'arbre. Ses cheveux de cendre. Elle ne parle plus. Elle ne bouge plus, elle ne mange plus, elle ne fait rien. Elle attend de crever.

Sarah peint dans sa tête. Elle peint sa mère, en immense, son père en plus petit et son frère, en minuscule. Le ciel est noir.

Parfois, elle a des hallucinations sur les murs.

Elle croit qu'ils se rapprochent. Elle essaie de les repousser avec les mains et, même si elle ne touche que le vide, elle continue à essayer de les faire reculer. Elle se bat contre eux. Elle parle d'un pont, de ses vêtements perdus dans la Seine. Clémence dit qu'elle souffre à cause de sa brosse à dents. Sarah essaie de la calmer.

Puis, elle comprend que Clémence est en train d'avaler la tige en plastique de sa brosse à dents. Ça lui fait mal. Mais elle le fait probablement pour ça, avoir mal.

Sarah espère qu'il n'est pas trop tard, qu'elle n'est pas folle.

— Arrête, pourquoi tu fais ça ?

D'abord, Clémence ne répond rien. Sarah insiste. Puis un son étrange. Éraillé. La voix atone de Clémence. Un robot.

— J'ai avalé le tube. Et la brosse. Je suis normale. J'ai fait ça pour... je sais pas pourquoi j'ai fait ça. Je suis normale. J'ai mal. Faut me donner quelque chose, j'ai mal. La brosse à dents est bloquée.

Bouffer une brosse à dents ne doit pas être si simple qu'on pourrait croire. Il lui a fallu l'enfoncer.

Elle tousse, résiste, elle ne veut pas du corps étranger.

Sarah essaie de se débattre pour enlever ses cordes et empêcher Clémence de se détruire. Mais elle n'y parvient pas. Elle appelle au secours. Personne ne vient.

Forcer. Ça y est, la tige entre. Clémence crie, la tige a dû traverser sa gorge.

Ça lui fait tellement mal.

Mais Clémence commence à se mutiler. Elle gratte ses jambes au sang, son front, ses bras, son ventre. Des croûtes se forment. Elle les arrache. Les plaies, de nouveau à nu, saignent. Elle continue à les creuser avec ses ongles. Elle essaie de dessiner sa détresse dans ses blessures.

Elle s'en prend à sa chair comme si la toile était sa peau et qu'il faille la déchirer.

Clémence dit qu'elle s'est battue jusqu'aux premières lueurs de l'aube. Elle veut se rendre aux loups.

Sarah observe les cicatrices et les plaies ouvertes

sur le ventre de Clémence. Elle essaie de l'interroger : est-ce elle qui s'est fait ça ou Luc Ferrier qui l'a découpée ?

Clémence répond des choses incompréhensibles. Elle dit qu'il fait toujours noir mais elle discerne des voix. Elles sont innombrables.

Alors, Sarah continue à lui parler. Elle convoque un univers de mots, comme Clémence l'a entourée d'un monde de peinture. Le pont. La pluie. Le vent. Ah oui, l'eau du fleuve.

Dehors, il fait nuit. Nuit totale au-dedans et au-dehors.

La voix de Sarah se tarit, elle n'est plus qu'un mince filet.

Elle dit :

— Pense à ta vie d'avant… Le tableau jaune. Faut être une sacrée fille pour faire un truc comme ça…

Un instant, un réverbère s'allume quelque part. Une lumière. Les murs émettent un bruit sourd. Un battement de cœur. Ils enflent. Ils se rapprochent. Ils se referment sur elle. Le fleuve l'avale. Avale le monde. S'échoue ici. Et les noirs se mêlent, ceux de l'eau et ceux du cachot.

Clémence poursuit comme une antienne :

— Je ne suis pas folle… je ne suis pas folle…

Sarah appelle encore. Elle attend. Personne.

Clémence ne bouge plus, elle ne mange plus, elle ne dort plus. Elle attend que la mort l'emporte.

Le réverbère s'est éteint depuis longtemps déjà. Sarah sent que sa voix ne porte plus. Elle ne passe plus les murs.

Elle ouvre les yeux. Et il fait noir. Les murs. Assise à même le sol.

Cette cave à l'écart du monde. Cet ersatz d'hôpital souterrain. Sarah s'efforce de respirer les lieux, de palper sa propre peur, ses propres sentiments en face de cet événement dépourvu de sens. Elle flaire l'odeur des murs, celle de Clémence, des couloirs, touche les parois humides.

Elle explore ses propres sensations, diverses, volatiles, face à cette nouvelle existence de l'autre côté du mur. Dans la cage.

C'est drôle comme sa vie d'avant lui paraît obscure. Les choses après lesquelles elle courait lui semblent lointaines. Survenues il y a très longtemps. Pourtant, c'est elle, cette histoire.

Elle s'efforce de se concentrer sur sa propre réalité. Même ici, se dit-elle, elle est toujours elle-même, et la caméra de son imagination suit le moindre de ses mouvements, elle illumine l'obscurité.

Si elle pouvait dormir un peu, tout rentrerait dans l'ordre, et elle pourrait réfléchir. Mais la fatigue l'empêche de dormir, elle la rend nerveuse. Le sommeil reviendra bientôt. Et avec lui la lucidité, la mémoire. Il faudrait faire le point. Le bilan des jours passés ici.

Combien ? Elle commence à perdre le fil. Dix, douze ? Peut-être davantage. Si le monde d'avant est devenu si lointain, c'est à cause du manque de sommeil. Les brumes de la fatigue ont couvert sa mémoire d'un rideau opaque.

Sa caméra mentale ne la perd pas de vue. Elle retient sur sa pellicule tout le déroulement de son existence. Elle voudrait bien réfléchir, et sortir de la cave avec des idées plein la tête, mais elle ne voit que des images floues qui s'échappent d'elle. Le sommeil arrangera tout. Elle recollera les morceaux épars.

Ses souvenirs, taches de couleur dans les ténèbres de la pièce, écho à sa nuit intérieure. La faim lui tord le ventre. Elle va sortir et manger, partir d'ici, retourner à l'assaut du monde, retrouver Alexandre. Le prendre par la main et fuir.

Y a-t-il vraiment un monde ailleurs, un monde qui l'attend et lui ouvrira les bras quand elle partira ? Ses référents présents ont estompé les contours du monde ancien. Pas annulé : estompé. Étrange, troublante capacité de reconstruire son existence en quelques mois, en quelques jours.

Dès qu'elle est entrée au centre, elle a commencé à oublier. Le trajet a été un voyage dans le temps. La distance parcourue est celle de son regard, le monde quitté lui apparaissant de plus en plus flou, irréel à mesure qu'elle s'éloignait.

Son séjour dans la cave creuse encore la distance et le temps. Le réel se dissout, elle se dissout.

Quand elle sortira, est-ce qu'elle sera toujours une autre ?

Cette nuit-là, quand Luc Ferrier revient, il amène deux personnes avec lui.

Les tortures de Chanteval

Deux hommes, d'après le son de leur voix. Et leur poigne lorsque, avec Luc, ils se saisissent de Sarah et entreprennent de la remonter et de l'attacher à une des tables. Des hommes riches, avec des chemises.

Avant qu'elle disparaisse avec ses bourreaux, Clémence lui crie :

— Jusqu'à l'aube, tu entends ? Jusqu'à l'aube !

Sarah connaît *La Chèvre de M. Seguin*. Elle a entendu Clémence la lire à son fils. Mais elle n'est pas Clémence. Ni la chèvre. Elle ne va pas se battre pour la beauté du geste, elle va se battre pour survivre. Survivre plus loin que l'aube. Et plus loin que les loups. Voir au-delà de sa situation, elle s'est préparée à ça toute sa jeunesse. Elle n'a vécu que pour ça, de rallye en rallye.

Elle n'est plus à l'instant, elle est cent mètres plus loin, deux cents mètres, au prochain virage, à la prochaine ligne droite.

Mais les hommes qu'elle ne voit pas sont bien plus cruels que des loups.

— Alors, ce sera quoi, ce soir ? demande Luc.

— Moi, dit quelqu'un à la voix étrangement haut perchée, cravache. Puis, brûlure de cigarette.

— Et moi, souffle l'autre, ce sera les décharges électriques.

— Les coups de cravache : trente euros. Plus les brûlures : cent vingt. Ce qui nous fait un total de cent cinquante euros. Et monsieur, quatre-vingts pour les décharges.

— Et le scalpel ?

— C'est plus cher. De cinq cents à cinq mille euros selon l'emplacement et la gravité de la blessure.

Tout de suite, Sarah entend le bruit des billets froissés, le prix de sa douleur.

Ensuite, ils découpent, ils cravachent, ils brûlent. Ils font des choses qu'on ne saurait dire, à peine imaginer, et qui pourtant se paient.

Alors, de toutes ses forces, Sarah pense au tableau que Clémence a peint pour elle. Le tableau couvert de jaune. Elle va s'y installer. Elle va se cacher dans ce monde lumineux et paisible. Elle va s'échapper grâce à Clémence. Elle qui jadis était lucide et ne possédait pas d'imagination, la voilà qui s'enfuit dans un tableau.

Immobile, le corps de Sarah reste là tandis qu'elle s'échappe par un point de fuite, un lieu qu'elle est seule à voir. Au prochain virage, à la prochaine halte, à l'étape d'après.

Au milieu des taches de couleur, Sarah s'envole dans les paysages que les tourbillons de gouache ouvrent dans son esprit. Pour elle, les peintures ne sont pas abstraites, au contraire ; elles représentent des fleurs, des fleuves, des plaines et des prairies, des montagnes aux cimes enneigées, des villes désertes, des toits couverts de tuiles, des églises vides.

Les feuilles d'érable bruissent dans la bise de novembre. Un ciel bleu-blanc glacial. Les nuages se mêlent, ils deviennent les vagues, l'écume et la marée. Les brins d'herbe se couchent, se redressent, ploient sous le vent. Ils créent une lisière aux champs de blé, un fond aux taches des coquelicots. Une nuée d'oiseaux obscurcit le paysage. Les bruits d'ailes assourdissants.

Dehors, les prés, les champs. Fond vert. Le ciel noircit sous les ailes des corbeaux.

Puis, brusquement, ils disparaissent. La douleur les a fait s'envoler. Le silence revient. Et le soleil froid de l'hiver. Où se sont égarés les oiseaux ? Sarah cherche, ne voit plus, au lieu des ailes déployées sur l'azur, que des croûtes de peinture lépreuses. Elle a mal. Elle repousse la souffrance par la force de sa mémoire. Parvient à trouver une ouverture dans le tableau, à s'échapper de nouveau.

À droite, elle aperçoit une foule, qui se presse. C'est jour de marché. Sur les étals, on devine des fruits, de la viande, du pain et des paniers. Les gens forment des tourbillons de couleurs au pied des maisons, des églises, de la cathédrale, au pied du ciel. Leurs mouvements laissent imaginer des frottements de tissu. Des mots échangés. Des poignées de main.

La façade de la cathédrale réfléchit le soleil levant. Elle forme un grand miroir de lumières et d'ombres.

À gauche, un rocher avance sur la mer, il tend son arc au-dessus d'elle et y plonge une colonne de granit.

Puis, il n'y a plus que le bruit du train. Le bruit du train. Le bruit du train, lancé à toute allure dans la steppe.

La voix d'un homme déclame :

Petite chienne !

Sarah l'entend puis parvient à rentrer de nouveau dans le tableau.

Son enfance, les arbres, leurs feuilles rouges, or et brunes. Lacs, fleuves, rivières. L'alternance des jours et des nuits. Leur façon toujours inédite de se pénétrer. Les aubes d'or, les crépuscules rouges, gris ou verts. Parfois, le petit jour se pare de toutes les nuances du violet. Et le vent transforme les feuilles en mains, en mouchoirs pour se dire adieu, en lettres d'amour. En chuchotements. Sarah a vu tout cela, et beaucoup d'autres choses encore. Des mers ouvertes, des mers de sel, de l'eau rouge comme une blessure.

Sarah tente de voir les reflets du lac près de sa maison, les champs de colza, les champs de blé, les tournesols, les poupées de maïs, le canon des fusils, les feuilles mortes. Et la poussière du sol sur la route de Pikes Peak, le trajet dans les nuages. Un été comme celui qui l'a conduite ici.

Le trajet qu'avec Alexandre ils ont partagé. Aujourd'hui, elle est encore la passagère d'une voiture lancée à toute allure dans les paysages de son esprit. Elle n'est plus seulement la passagère, elle est la voiture. Elle est le mouvement de la tôle et des roues, cherchant à percuter l'horizon pour s'y fondre, le moment où l'acier et le levant ne forment plus qu'un éclair de feu.

Elle est l'horizon.

Le bruit d'une lame.

Le paysage s'efface brutalement. Et il n'y a plus qu'un mur blanchâtre. Et l'éclat du couteau.

Sarah n'est plus le train, la ligne de fuite, elle redevient sa douleur au ventre. Ses entrailles ouvertes.

Elle balaie le bruit de la lame et de ses propres cris dans le vent de Sibérie. Elle retourne au bruit du moteur. Au vacarme des roues. Les routes illuminées. Le vent des plaines. Les rouges les jaunes les bruns. Elle est le train. La vitesse et le vent. Et cette montagne grise zébrée de blanc, là-bas.

Sur la mer déchaînée, se dressent de hauts rochers noirs.

On la frappe d'un coup de poing brutal, sans élan ; du liquide chaud sur sa joue.

Au début, elle s'en est servie comme peinture. Elle en a barbouillé une feuille. La couleur était sublime : d'un rouge éclatant le soir, elle était noire comme l'encre au matin.

L'autre a une façon différente de frapper. Il aime les accessoires : ceinture, lanière, tisonnier. Il cogne fort, laisse des bleus, des bosses et des coupures mais il s'excuse. Des excuses sincères.

Des mouettes. Elle couvre le ciel de mouettes blanches. Il y en a partout, pas de recoins où se cacher hors de la vue des mouettes.

Un coup de cravache.

Les steppes. La voiture. Les feuilles. Tout s'efface. Et il n'y a plus que neuf mètres carrés de puanteur et de froidure.

Dans la cave, il ne fait pas plus de seize degrés.

Le train. Les feuilles. S'envolent dans le vent glacé de novembre.

Et il n'y a plus que neuf mètres carrés.

Plus de voiture, pas d'accélérateur, juste ses jambes paralysées. Son corps fixé à un lit de tortures. Elle a perdu l'étape. Ralph Dichters sourit quelque part en faisant claquer son Zippo doré.

Elle pense à la petite chèvre qui finit par se rendre aux premières lueurs de l'aube.

Là où elle est, il n'y a plus d'aube. Plus de zénith, ni de crépuscule.

Et le cri de Sarah qui résonne dans le vide :

— Au secours !

L'heure d'après

Après le départ de Luc Ferrier et de ses clients, Sarah se recroqueville contre le mur. Elle ne dit rien. Elle lutte pour ne pas pleurer.

De son coin de mur, Clémence la regarde. Un large sourire s'épanouit sur son visage. À la vue du sang de Sarah, elle s'écrie d'un ton admiratif :

— Oh, comme tu es belle avec ta robe rouge !

Sarah voudrait un peu de chaleur, de réconfort. Alors elle s'approche de Clémence et se blottit contre elle, peau à peau. Clémence ne s'écarte pas, ni ne se serre. Sarah se met à pleurer. Clémence garde les yeux secs, grands ouverts.

Elle contemple ses contusions, les blessures que les clients de Luc Ferrier lui ont infligées.

Plus tard, Luc Ferrier et l'ombre descendent tous les deux.

Comme la première fois, Luc Ferrier amène une éponge et un seau. Mais l'ombre renverse l'intégralité du sien sur Sarah. Cette fois, l'eau est légèrement tiède. Puis, l'ombre remonte. Elle referme la porte et ne redescend pas.

Luc Ferrier passe l'éponge entre les jambes de Sarah, le long de ses cuisses, sur sa poitrine, il lave même ses cheveux. Puis, il lui fait avaler deux Doliprane.

Depuis le début, il lui donne du Doliprane pour tout. Doliprane contre la douleur au bras, les maux de tête, la blessure ouverte et purulente, Doliprane contre les insomnies, contre la tristesse, contre la folie.

Doliprane contre les nuits de terreur, la colère de femmes en cage, Doliprane contre la rage.

Mais ce jour-là, il lui donne aussi un somnifère, des antidouleurs et des antibiotiques.

Lentement, avec minutie, il couvre chaque blessure de Bétadine. La pièce prend aussitôt une odeur de désinfectant. Il passe de l'anesthésiant sur une plaie. Rapidement, elle ne sent plus rien. Il la recoud avec soin.

Elle s'efforce de réfléchir à ce qui s'est passé. Elle se croyait devenue objet de dégoût et de rejet ; elle découvre qu'il y a des gens prêts à payer pour plonger leurs mains dans ces chairs martyrisées. Des gens qui désirent les éclopés, estropiés, défigurés, fragiles, broyés, déchirés. Le grand marché de la fille cassée.

Elle se prend à penser qu'il s'agit de la même impulsion que les enfants qui ouvrent les montres et tâchent de les démonter. Luc Ferrier vend des êtres tordus à des gens qui veulent les ouvrir, les démonter. Ses bourreaux étaient animés du même élan et ont, sans doute, ressenti la même déception. Car au fond ce n'est que cela. Des viscères puants. Un monde fini et circonscrit, composé de cellules qui ne sont jamais les mêmes, qui meurent sans cesse, une identité instable, provisoire.

À force de tout acheter, ils ne trouvent plus rien à posséder, plus de frisson sinon dans la quête toujours déçue de nouveaux objets à détruire.

Elle repense aux kamikazes, disséminés aux quatre vents. Y a-t-il un rapport entre les deux hommes qui ont acheté le droit de la casser et ceux qui se sont disloqués au feu de leur voiture piégée ? Elle se dit que c'est peut-être ça, la barbarie : la haine du corps, celui des autres comme du sien propre. Du désir de le briser. De le frapper, de l'anéantir.

Elle regarde Luc Ferrier. Elle s'efforce de trouver en lui une trace d'humanité, de compassion.

Il a des gestes précis de médecin mais le regard d'un réparateur de voitures.

Dans un élan de désespoir, elle finit par comprendre que c'est lui qui est cassé et mort.

Elle a d'abord regretté de ne pas avoir vu ses bourreaux dans les yeux. Dans sa stupide naïveté, elle a cru qu'un échange humain, une parole ou une expression, aurait pu changer le cours des choses. Elle a pensé qu'en contemplant sa réalité, ils reculeraient, ils cesseraient de voir en elle une poupée à abîmer, un simple objet. Pauvre conne. Ils n'auraient vu dans son regard aucune humanité. Parce que eux en sont dépourvus.

Dans leur expression, comme dans celle de Luc

Ferrier acharné à la recoudre, elle n'aurait trouvé qu'un désir de combler le vide.

Elle se souvient de son voyage en Asie, avec Nathan, quand le Rallye d'Indonésie avait été annulé, en 2010. Ils avaient visité le Cambodge avec leurs sacs à dos. Au début, ils avaient perçu quelque chose d'étrange mais sans réussir à mettre un nom sur leur ressenti. Les enfants nus, jouant dans la poussière, leurs parents. Puis ils avaient compris : il manquait une génération. Tous les vieillards avaient disparu. Évidemment, ils avaient entendu parler des Khmers. Un nom sans substance. Une connaissance lointaine et vague. Alors ils s'étaient renseignés. Et ils avaient découvert, eux qui savaient si peu de choses sur le monde, les tortures infligées aux prisonniers de guerre au Cambodge. Le camp S-21, ironiquement nommé « bureau de sécurité ». Dans cet ancien lycée de Phnom Penh, des prisonniers étaient torturés et exécutés. Plus de dix-sept mille personnes assassinées, sans doute des milliers de plus. Sept survivants. Liste des tortures appliquées à S-21 : injures, coups, coups de fouet, coups de bâton, lacérations, extraction des ongles ou intromission d'aiguilles, décharges électriques, sac en plastique sur la tête, etc. Mais ce qui, plus que tout, avait frappé Sarah, c'était ce détail que les détenus, après avoir été torturés, étaient soignés afin d'être torturés à nouveau.

Maintenant, elle en est sûre : il n'y a rien en Luc Ferrier, pas plus qu'en Douch à S-21 – ni colère, ni haine, ni désir.

Rien que le vide des rapports marchands.

Eux vivent dans un monde où tout se vend, où tout s'achète. Mais grâce à Clémence et à Alexandre, elle sait désormais qu'il en existe un autre, éphémère et infini. Des parcelles où se réparer, où reprendre son souffle. Des parcelles de peinture, de musique, de littérature ou de rêve. Une zone autonome temporaire : le tableau jaune de Clémence, le souvenir d'Alexandre.

Les chiennes

À son réveil, assommée par les somnifères, Sarah retrouve Clémence pendue aux canalisations avec des bouts de drap soigneusement assemblés. Et elle repose là, poupée obscène, assise, jambes écartées, langue tirée. Elle n'a pas pu se suspendre en l'air ; il n'y a rien à quoi s'accrocher : les canalisations sont à peine à un mètre du sol. Alors elle a dû, sans bruit, tirer sur le tissu, tirer à en mourir, sans un cri, pas même un soupir, pour ne pas éveiller sa compagne.

Sarah veut la ranimer. Elle déchire les draps et allonge Clémence par terre. Elle masse son cou. Elle presse son thorax, lui fait du bouche-à-bouche. Et rien. Elle prend conscience de ses lèvres pressées sur celles de Clémence. Elle embrasse un cadavre. Le dernier baiser à la mort. Clémence ne ressuscite pas. Sarah a mal aux genoux et envie de vomir parce que la mort, on voudrait que ce soit digne et triste, mais ça se traduit d'abord par des épanchements répugnants et une odeur dégueulasse.

Au loin, Sarah distingue des cris d'oiseaux. Des corbeaux. Ils devinent la mort derrière leur peau.

Elle contemple ses contusions, les blessures que les clients de Luc Ferrier lui ont infligées. Avec ses bleus, ses griffures et son œil sanglant, elle se fait l'effet d'une pute qui se serait fait tabasser par son mac.

Près d'elle, Clémence. L'épiderme jaune, vert et gris. L'odeur. La langue tirée. Les écoulements divers. La chair revenue à la boue dont elle est issue.

En décrochant Clémence du radiateur, Sarah revoit sa grand-mère en train de prier. La petite église de Nort-sur-Erdre. On l'a obligée, gamine, à se confesser durant les vacances d'été passées chez ses grands-parents. Elle avouait les répugnances qui lui occupaient l'esprit, les rêves de perforations. Le prêtre répondait que c'était péché. Il incitait au châtiment. À la prière.

Mais les abominations revenaient, elles revenaient en rêve et en état de veille. De sales images de sexe.

Clémence lui fait le même effet.

Elle la fascine et la dégoûte. Les fonctions naturelles l'ont toujours révulsée.

Elle a vu sa mère partir d'un cancer du côlon. Longue maladie. Les viscères et leurs immondices reprenant leurs droits. La vie de sa mère est partie peu à peu, elle s'est vidée. Aujourd'hui, elle est enterrée en Loire-Atlantique.

Luc Ferrier attend la nuit suivante avant d'enlever sa dépouille. Toute la journée, il se montre avec Sarah d'une humeur massacrante. Même si Clémence commençait à être usée, elle n'en demeurait pas moins un produit dont le rendement défiait toute concurrence. Elle ne se nourrissait presque plus et ne coûtait que très peu. Depuis qu'elle avait ingurgité sa brosse à dents, il avait décidé de la priver de presque tout. Et il restait à vendre une prestation qui rapportait gros : sa mise à mort.

Il le confie à Sarah :

— Il y a toujours de bons clients pour ça. Des mecs prêts à payer beaucoup, cash. Je facture aussi le retour quand le nécrophile ne s'occupe pas du corps lui-même.

— Vous les mettez où ?

— Je les enterre au fond du jardin et je les couvre d'un tas de fumier. À cause de l'odeur, les gens ne s'approchent pas. Et la décomposition s'accélère. J'appelle ça la double vertu de la merde.

— Vous avez vendu combien de… prestations ?

— Une fille tous les deux ou trois ans, pas plus. Tout est question de circonstances. Je choisis des gens très isolés. J'ai toutes les informations nécessaires lors des réunions d'équipe du lundi. Lorsqu'elles quittent le centre, je les suis. Et elles se perdent, quelque part entre L'Herbe bleue et le monde d'en bas.

— Et l'ombre qui s'occupe de nous ?

— J'avais besoin de quelqu'un pour assurer le suivi en mon absence. C'est une ancienne pensionnaire.

Il soulève Clémence, l'emporte sur son dos. Il sort sans bruit dans la nuit. Il dépose Clémence près du tas de fumier et va chercher une pelle. Sarah l'entend creuser durant des heures.

Folie

Dans sa tête, des mondes, des gens, des objets se bousculent à ne plus savoir qu'en faire. Elle essaie de les classer, d'y mettre de l'ordre, mais parfois, ça se vomit malgré elle, en avalanche – une vraie anarchie. Tout ça, le désordre qui règne dans sa tête, ça lui colle une telle frousse qu'elle en devient maniaque. Maniaque de rangement dans les tiroirs de sa tête. Elle lutte, lutte, ça déborde quand même, ça se répand, englue tout. Et elle recommence. Une case pour les parents, les vieilleries, l'enfance, une case pour l'école, chacune se décomposant en petites cases particulières, les copains, les ennemis, la mort, les projets, le futur, et une foule d'autres choses. Débordant de bordel à classer, et essayant de canaliser des flux bizarres qui s'égouttent dans sa tête.

Dans le noir de sa cave, éclatent d'étranges orchidées de chair. Elles se déploient jusqu'à occuper l'espace d'obscurité infinie. Elles se penchent en ouvrant leurs mâchoires et en faisant claquer leurs dents.

En cassant les barrières, atteindre le pouvoir total. La beauté, l'extase du sacrifice. Le Chinois qui sourit de toute la blancheur de ses dents quand on lui arrache les membres. Et les ailes, et les ailes. Et les pattes, et les pattes. Et le cou…

Les orchidées de chair penchent la tête, et leurs corolles couvrent les ténèbres de son tapis jaune. Le Chinois : les surréalistes aimaient un jeu qu'ils appelaient « cadavre exquis ». Une histoire écrite à plusieurs mains. Chacun écrivait un mot ou une phrase, qu'un autre complétait sans savoir ce qui était écrit avant lui. Après, on déroulait cette étrange histoire collective. Eux, les loups, ils sont pareils : ils ajoutent leur blessure, ils volent à la victime une livre de viande, s'inscrivant ainsi dans la ligne des prédateurs.

Pour repousser la folie, elle essaie de se rappeler son passé. C'est le dernier fil qui lui permet d'être sûre qu'elle existe encore et qu'ailleurs elle est quelqu'un. Un être humain à qui les autres donnent un nom et une forme.

Elle pense aux êtres qu'elle a côtoyés sans y penser, sans les voir. Sa grand-mère. Sarah s'agaçait de ce qu'elle marche si lentement, si pesamment. Maintenant elle comprend que chacun fait avec le corps qui lui est imparti. Son lent pourrissement.

Et elle se surprend à penser que sa grand-mère avait de la chance car, avec ses courbatures, sa goutte, sa canne, elle marchait mieux que Sarah aujourd'hui.

Au début, elle se remémore des scènes. De moments d'enfance. Son père et elle lors de leur première sortie de chasse. Son père, lorsqu'il a ramené un chiot et le lui a offert. Sa mère, en train de manger une glace devant la télé, rigolant devant une connerie quelconque et interpellant le présentateur. Peu de souvenirs d'école, à part la récré. Tous ces moments reviennent.

Et Alexandre. Leur nuit et leur jour tous les deux. L'eau du lac, le soleil et leurs caresses.

Elle s'efforce de ne plus conserver qu'une fine bande de souvenirs. Son frère bossant à l'usine de conserves pour acheter sa première mobylette. Pas n'importe laquelle : une « Mobylette » Peugeot TSR BB Rallye de 1963, jaune et noir. Elle était montée à l'arrière et ils étaient partis sur les routes, mettant la gomme pour sentir le vent d'automne leur balayer les cheveux et leur souffler au visage son parfum de liberté.

La fois où Quentin, un camarade, et Nathan se sont battus à cause d'elle. La Kawasaki noir et vert, une Eliminator 125, que Nathan avait rapportée un soir et qu'il lui avait laissé conduire, serré contre son dos tandis qu'elle montait à cent soixante-dix.

Tous ces moments reviennent.

Puis, Sarah les jette à leur tour dans une poubelle de sa mémoire. Elle ne garde plus qu'un instant, Alexandre et elle en partance. Un seul instant. Alexandre, ses yeux. Répété à l'infini.

Puis, elle se dépouille de tout, jusqu'à n'imaginer plus qu'une pièce où elle a vécu, elle libère cette pièce de tout objet, elle la vide complètement. À la fin, il ne lui reste plus que quelques formes abstraites, une ligne, puis un point. Juste le prénom d'une fille perdue. Clémence…

Libre d'images, d'objets et d'affections, elle songe chaque soir avant de s'endormir à la meilleure façon de tuer un homme. Il y a de nombreuses barrières à franchir.

D'abord, il faut une arme : du poison, un fusil. Et, pour l'heure, elle n'a que ses mains nues. Ou alors, il faudrait l'endormir et trancher sa trachée avec les ciseaux qu'il utilise pour découper ses bandages. Trop aléatoire. L'étouffer avec quoi ? Elle n'a pas de corde ni de ceinture, pas même de lacets à ses chaussures. Mais il faut bien plus de force qu'on imagine pour serrer à ce point, maintenir la pression suffisamment longtemps, ne pas céder. Et elle est trop faible pour un corps-à-corps.

Non, il lui faut une méthode rapide, efficace, sans combat. Une lame.

En regardant autour d'elle, elle ne voit rien qui puisse couper ou déchirer. Rien sinon les vitres de l'armoire à pharmacie. Elle pourrait y projeter quelque chose pour en rompre une partie et se confectionner un morceau tranchant.

Mais il n'y a rien qui puisse servir de projectile. À part elle-même. Et, après tout, pourquoi pas ? Elle a désormais tant d'usages insoupçonnés.

Pour atteindre l'armoire, elle doit se libérer de ses cordes et marcher environ deux mètres sans rien, ni mur ni meuble, sur quoi s'appuyer. Comme ça, juste la force de ses jambes.

Si, tous ces obstacles supprimés et au prix d'efforts insensés, elle parvenait à ses fins, il est impensable qu'elle réussisse à remonter hors de la cave, là-haut, à l'air libre. La différence entre faire un pas sur un plan horizontal et grimper une marche est encore gigantesque.

Il faudra donc prévenir les gendarmes, mais comment ? Comment attirer l'attention des forces de l'ordre, ou seulement des voisins, confinée sous terre ?

La réponse lui vient d'un rêve, ou plutôt d'un cauchemar. Depuis quatre mois, elle se réveille souvent avec des images d'incendie plein la tête. Quand Luc Ferrier a découpé ses vêtements, il les a jetés en tas, dans un panier en osier détressé. Et, pour ce qu'elle peut en voir, ils y sont toujours. Son Zippo doré était sur elle, dans une poche avant de sa chemise, sans doute – peut-être – y est-il toujours.

Si chacune des étapes qui la séparent du grand incendie dont elle rêve désormais comme d'une puissance libératrice paraît ardue, quasi infranchissable, du moins a-t-elle enfin un but, l'espoir de voir dans ce monde obscur s'ouvrir un point de fuite réel.

Elle s'y prépare de la même façon qu'elle se préparait à ses courses les plus longues. Une étape après l'autre. Vide de pensée, tout entière tendue vers son but, la première place, et elle seule.

Révolte

Ce soir-là, il est tard quand il descend. Il paraît contrarié, comme s'il avait été retenu quelque part contre sa volonté. Sarah observe chacun de ses gestes. Chaque expression de son visage. Sa colère peut être un frein à son plan, si elle le rend méfiant, ou au contraire elle pourrait favoriser sa distraction. Elle penche pour le deuxième cas de figure.

Il lave son corps attentivement, à l'éponge.

Il examine les sutures, remet de la Bétadine, ôte un pansement et le change. Il lui donne une nouvelle dose d'antibiotiques pour que les plaies ne s'infectent pas.

Puis, sans un mot, il remonte.

La porte se referme. Sarah est seule dans le noir. Elle attend, les yeux grands ouverts, que ses pupilles se dilatent et lui permettent à nouveau de distinguer des formes autour d'elle. Alors, lentement, patiemment, elle entreprend de ronger la corde qui retient sa main droite. C'est long, c'est fastidieux. Elle a l'impression que l'émail de ses incisives part en lambeaux. La petite chèvre de M. Seguin, se libérant de sa corde. Parce que ça ne va pas assez vite, elle perd patience et commence à mordre les liens, elle essaie de les mâcher, de les broyer sous ses molaires.

Combien de temps avant qu'elle sente se rompre les premières attaches qui tressent la corde ? Trois heures, peut-être quatre ?

Lorsqu'elle finit par libérer son poignet droit, elle ne perd rien de sa concentration. Le chemin est long, inutile de s'appesantir sur chaque minuscule victoire. Elle franchit chaque étape en se projetant déjà sur la suivante. Il lui est aisé, à l'aide de sa main droite, d'enlever le second lien qui entrave son bras gauche.

Toujours allongée pour ne pas perdre de forces inutilement, elle descend manuellement la barrière du côté droit de son lit.

Puis, elle se redresse. Elle sait parfaitement accomplir cette contraction de ses abdominaux et s'asseoir sur son lit, elle s'y est entraînée depuis son arrivée au centre. Elle jette un regard vers l'armoire à pharmacie. Le meuble semble loin. Mais Sarah sait qu'elle peut le faire. Quand elle a voulu se lancer dans les rallyes automobiles, on le lui a tellement répété : c'est impossible, Sarah, tu n'y arriveras pas, tu ne pourras jamais battre des mecs surentraînés comme Ralph Dichters, c'est un sport d'hommes, tu n'y peux rien. C'est impossible, c'est impossible, c'est impossible. Un seul type a cru en elle : son frère. Seul contre tous, il lui a dit qu'elle pouvait y arriver. Que les trucs impossibles, c'était bon pour les autres, pas pour eux. Aujourd'hui, Nathan l'a laissée derrière lui, en pièces détachées au garage, tandis qu'il court les circuits, pneus au sol, pied sur l'accélérateur. Mais s'il est physiquement absent, il lui a légué cette croyance irrationnelle en elle-même, cette idée qu'elle peut tout réussir si elle veut, même si c'est impossible, infranchissable, infaisable. Alexandre aussi partage cette foi. Seul contre tous, il a soutenu qu'elle marcherait encore, que c'était à portée de jambes, pourvu qu'elle veuille. Et elle veut. Elle n'a pas fait quinze ans de compétition pour s'effondrer devant la ligne de départ. Elle sait provoquer sa chance et l'emporter. Et peut-être a-t-elle même un nouvel atout, celui de se savoir vulnérable. Elle a eu la soif de vaincre mais sans souci du danger ni de sa préservation.

Le panier en osier. Il est situé à quelques centimètres. Mais il faut se baisser. Sarah prend appui sur l'armature du lit pour se pencher et attraper le panier. Elle le soulève et le hisse sur le matelas. Elle se rassoit. Reprendre des forces. Ses jambes tremblent déjà. Elle renverse les morceaux de vêtements et les étale sur le drap. Elle trouve la chemise. La poche est vide. Un temps, le désespoir la saisit. Elle fouille les poches du pantalon découpé. Dans une poche avant, elle sent le contact doux et glacé. Elle sort son Zippo. En fait claquer le capuchon. Respire avec bonheur la mèche imbibée d'essence.

Puis, serrant dans son poing le petit carré de

métal, sa possible délivrance, elle se redresse et lâche l'armature du lit. En équilibre précaire, seulement vêtue d'une blouse blanche élimée, la blouse des malades, pas celle des infirmières, elle fait un pas en avant. Pour la soutenir, il faut plus que des muscles, il faut l'espoir irrationnel de fuir. Mais ce qui la soutient alors, ce qui actionne son fessier, le muscle pectiné, le muscle couturier, les petits et grands adducteurs, le tenseur du fascia lata, le muscle droit antérieur, le vaste externe, le vaste interne, le tendon rotulien, le muscle soléaire, le muscle jambier antérieur, le long péronier latéral, le péronier antérieur, le ligament annulaire antérieur du tarse, sans oublier le tendon du muscle extenseur propre du gros orteil, c'est le désir de tuer.

Un pas, deux pas, trois. Ce désir la dévore, la consume entièrement. Elle ressent dans ses mollets, dans ses cuisses, la moindre imperfection du sol. Les creux, les bosses, même infimes, la font souffrir. Elle chancelle. Ses jambes sont encore trop fragiles. Comme celles des faons, immenses et vacillantes, à leur naissance. Elle songe à la gorge de Luc Ferrier. À l'éclat de verre qu'elle va y ficher. Elle va sectionner la veine jugulaire. D'un coup sec. Le sang va se répandre, il lavera les souillures qu'il lui a infligées. Il vomira ses tripes par sa gueule ouverte. Il tombera à genoux. Alors, elle saisira quelque chose, n'importe quoi. Un marteau. Il doit bien y avoir un marteau quelque part dans cette cave sordide. Et elle lui brisera les jambes. Avec précision, minutie. Comme il l'a soignée. Elle commencera par le fémur, elle s'attardera sur la rotule. Elle cassera ce qu'elle peut de ce petit os à la fois central et fragile. Elle le réduira en poudre. Puis, elle brisera le tibia et les os des pieds. Tous.

Soutenue par la colère, elle atteint la vitre de l'armoire à pharmacie. D'abord, elle n'ose pas frapper fort. L'ancienne peur d'avoir mal, l'obsolète réflexe de préservation.

Alors, de son coude gauche, afin de préserver intacte la puissance de ses poings, elle frappe de toutes ses forces, vers l'arrière, contre la vitre. Celle-ci tremble, fait un bruit épouvantable mais ne cède pas. Fascinant comme les sons portent dans le silence de la nuit. Terrifiée, elle se fige. Dans les hauteurs de la maison, rien ne bouge. Elle répète plusieurs fois le mouvement, chaque fois plus fort, toujours moins soucieuse de se blesser. À la fin, la paroi se fracasse et elle frappe encore. Son bras saigne. L'ancienne blessure de l'accident se rouvre.

Cette fois, le bruit a réveillé quelqu'un, dans la maison. Elle entend les pas. La porte ne tarde pas à s'ouvrir. Précipitamment, elle arrache un long morceau de verre.

Elle va gagner. Elle va faire apparaître une expression sur le visage du kiné, impassible, inerte. Inhumain.

Avant que Luc Ferrier n'ait atteint le bas des escaliers, elle allume le Zippo et embrase ce qu'elle peut autour d'elle, notamment les médicaments dont les boîtes s'enflamment.

Luc Ferrier se précipite sur elle. Mais Sarah parvient à faire un pas, un vrai pas, de côté. Surpris par son esquive, Luc Ferrier perd l'équilibre. Durant cette fraction de seconde, Sarah se glisse derrière lui. Elle passe le bras autour de son cou, le morceau de verre pointé vers sa carotide.

Ce qu'elle n'avait pas prévu, c'est la présence de l'ombre, découpée dans la porte.

Sarah la maintient à distance :

— Si tu bouges, je le crève !

Pour montrer qu'elle ne bluffe pas, elle enfonce la pointe de verre dans la gorge de Luc Ferrier.

Du sang coule le long de son cou. Le kiné devient plus blanc qu'un cierge. La peur l'étreint, une peur qui remonte du fond des temps, du fond des âges.

La vue du sang lui fait peur.

L'ombre ne recule pas mais n'ose pas non plus s'approcher, de peur que Sarah s'exécute.

— Fous le feu à la baraque et barre-toi.

En haut, l'ombre observe alternativement Sarah, puis Luc Ferrier. Le sang qui coule sur son tee-shirt blanc.

— Aide-moi, bordel, lui ordonne Luc Ferrier.

L'ombre esquisse un pas pour descendre. Sarah murmure :

— Fais pas ça. Casse-toi. Je sais que c'est dur à croire mais tu es libre.

L'ombre hésite mais la vue du sang lui fait peur ou la libère, impossible de dire.

— Allez, l'encourage Sarah. Tu attends quoi, bordel ? Aujourd'hui, c'est le jour où les moutons se rebellent et se tirent de la bergerie. C'est l'ouverture générale ! On se casse d'ici ! On fout le feu à la baraque.

Hésitation. On n'entend pas un mot, pas un murmure.

L'ombre recule peureusement d'un pas. Elle attend, indécise. Puis, elle fait un nouveau pas en arrière. Elle recule. Elle tourne le dos à la cave et s'en va.

— Qu'est-ce que tu vas faire? dit Luc Ferrier, très calme.

Elle fait mine d'appuyer sur sa gorge. Il grimace. Sarah appuie plus fort sur la carotide. Il couine de douleur. La vue du sang, le teint livide de Luc Ferrier, son cri de douleur et de peur.

En haut, dans un grand vent d'euphorie, l'ombre entreprend la destruction de ces murs qui l'ont étouffée et broyée. Elle balance des allumettes enflammées. Elle brûle les draps, les oreillers, les lits, les souvenirs.

Elle ouvre grand les robinets et laisse l'eau glacée se répandre. Déborder. Inonder la cave. Elle arrache les tuyaux. Des débuts d'incendie se déclarent dans plusieurs endroits.

Une odeur de plastique, de bois et de métal cramé se répand dans les couloirs.

Les inondations et le feu créent des explosions électriques qui éclatent en gerbes d'étincelles, comme à un feu d'artifice du 14 Juillet.

La fumée augmente. Une fumée noire, à couper au couteau. L'enfer, se dit-elle. Il est ici.

Le tapage devient assourdissant. Flammes rouges, fumées noires. La température vient de grimper.

En bas, Sarah regarde Luc Ferrier.

— Pourquoi ? Putain, pourquoi ?

Elle hésite à le percer. À voir l'effet du morceau de verre dans la chair. Elle se contient.

Elle dit :

— Elles sont où ?

Puis, de toutes ses forces, elle hurle :

— Les autres !

Il désigne le jardin d'un geste vague.

Le sol. L'odeur de détergent. La cave. Un lieu de nuit et de puanteur.

Luc Ferrier ne bouge plus. Il sent que Sarah n'attend que son refus, afin de pouvoir le déchiqueter.

Toujours appuyant la pointe contre la jugulaire du kiné, Sarah le contraint à s'avancer vers le lit. Elle s'appuie en partie sur lui. La haine et la peur lui servent également de béquilles. La fumée entre dans ses poumons. Elle commence à respirer plus difficilement. Il va falloir faire vite si elle ne veut pas mourir ici, asphyxiée, agneau et loup unis en une ultime étreinte.

Elle regarde l'heure sur le poignet de Luc Ferrier. Il est six heures douze du matin. L'aube va poindre.

Il faut tenir. Tenir quelques instants encore. Voir le jour apparaître.

Elle s'efforce de bloquer sa respiration.

Sarah fait asseoir le kiné sur le lit, il se débat, le verre s'enfonce dans sa gorge. Le sang coule le long de son cou, sur sa poitrine. Elle le contraint à s'allonger. Elle l'immobilise en lui enfilant les cordes.

Les poignets, puis les chevilles fixées à l'armature métallique.

Sarah lit la peur dans les yeux de Luc. Il tousse, sa peau devient grise. En cet instant, elle peut tout lui faire. Il est à sa merci. Le moment est venu d'accomplir sa vengeance.

Elle y songe. Quels moyens ? Dans son esprit, se bousculent des images de sodomie avec des objets coupants. Des scènes de torture. Paupières découpées. Brûlures de clopes. Tétons au cutter. Lacérations, griffures, coups. Putain, elle va lui casser les dents une à une avec un marteau !

Luc Ferrier lit sur son visage ses intentions cruelles. Il se tait. Il sait qu'il n'y a rien à faire, sinon se soumettre. Une odeur acide flotte dans l'air. Elle regarde les jambes du kiné. Une large auréole sombre s'est formée entre ses cuisses. Il s'est pissé dessus.

Sarah repense à ses bleus, à ses blessures. Comment en sont-ils arrivés là ? La peur au ventre. Où trouver une épaule amie ? Elle en ressent un étrange élan de désespérance. Le mal, l'injustice auraient pu revêtir des habits grandioses mais ils ne sont que cela. Un homme apeuré et qui pue. Le roi est nu, et son royaume s'ouvre à tous les vents.

Dans la cave, leur parviennent des gerbes d'étincelles, produites là-haut par la rencontre erratique entre le feu et l'eau. Le feu qui ravage la maison répand sous terre sa fumée noire et son odeur de métal brûlé.

Sarah avale les exhalaisons qui s'échappent des flammes. À travers elles, c'est le mal tout entier qu'elle sent entrer dans ses poumons. Elle le happe. Elle devient son réceptacle. Il ne lui reste plus qu'à tuer Luc Ferrier et elle aura peut-être ingéré tout ce que le monde compte de folie et de cruauté.

Elle entend au loin le bruit des sirènes. Elle doit fuir avant que les vapeurs toxiques ne la tuent. Mais le désir d'en finir avec Ferrier la retient. Sauver sa peau ou ajouter son coup de faux au grand massacre universel ?

Au milieu des vapeurs et du feu, les pompiers apparaissent, avec leurs lances braquées sur elle. Ils restent un instant bras ballants. Le monde qui vient de s'ouvrir devant leurs yeux est trop sombre et brûlant pour eux. Au-dessus des lits d'hôpitaux, une liste est accrochée au mur. Ils lisent le menu tarifé des sévices.

MENU

Coup de cravache : 30 euros.

Perçage par aiguilles : 45 euros.

Décharges électriques : 80 euros.

Brûlures à la cigarette sur le clitoris : 120 euros.

Éventration : 500 euros.

Ils peinent à déchiffrer. Les larmes qui leur montent aux yeux les empêchent de lire la suite. La peur et la colère leur font voir des syllabes en mouvement, des lettres étranges, roulant comme une mer déchaînée. Ils hument la puanteur.

— Vous êtes seule ? demande la voix d'un homme.

Par une sorte de réflexe absurde, elle veut se retourner pour contempler une dernière fois Lucifer. Entouré d'ombres, il pleure mais c'est à cause de la fumée. Une réaction corporelle mécanique, et non un mouvement de l'âme.

Elle s'est crue cassée, vieille bagnole tout juste bonne à mettre à la casse. Elle s'est trompée : c'est Luc Ferrier qui est cassé. Mort en dedans. Alors bien sûr, il a pris le prétexte de l'argent pour anéantir ce qui vit, ce qui pense, ce qui ressent. Il est lui-même cette mécanique inhumaine, inerte, qu'il cherche à démonter chez les autres pour tenter de trouver quelque chose, n'importe quoi d'humain, de vivant, au fond de lui.

Sarah essaie de lire sur les traits de son visage quelque chose comme un destin. La figure extraordinaire du monstre. Mais il n'y a rien. Rien du tout. Juste un petit homme à lunettes, qui s'est pissé dessus. Il baisse les yeux.

— Il y a d'autres personnes, ici? insiste un des sauveteurs.

Sarah pense à Clémence. Pourrissant sous terre, dans un angle mort du jardin. Un petit tas de chair disloquée. Des couleurs. Bleu, jaune, rouge, vert, brun, noir, gris, blanc. Et puis des brûlures rondes. Plusieurs. Elles valent cent vingt euros chacune.

Elle est sur le point de s'évanouir. Le pompier la tire vers l'extérieur. Vers la porte. Loin. Mais il lui suffirait d'un instant pour lui échapper, attraper le morceau de verre resté sur le lit et trancher la gorge de Luc Ferrier. Après tout, il lui a appris à coups de trique et de crachats que le ciel est vide. Que chacun est seul face à la meute, que chaque parcelle de viande se gagne à grands coups de dents.

Il ne faut plus se retourner. Comme, dans un rallye, il ne faut jamais regarder en arrière, ni sur les côtés. Toujours devant soi, toujours vers l'avenir, au ras du bitume. Elle ne doit plus penser à se venger de Luc Ferrier, surtout pas. Pas se dire qu'il a failli la détruire pour de bon, l'anéantir. Les autres, les adversaires, ne comptent pas. C'est comme ça qu'on sort de la route et qu'on meurt.

Elle tourne le dos au mal, elle abandonne sa pitoyable vengeance. Elle s'éloigne de la puanteur, du menu tarifé, de la porte des Enfers.

La dernière image qu'elle emporte du monde souterrain, c'est celle d'un grand brasier qui dévore le ciel tandis qu'un pompier la soulève de terre. Il gravit l'escalier, en la portant dans ses bras comme une jeune mariée. Les marches luisent à cause des flammes. Elles paraissent coulées dans l'or.

De la maison, sortent deux silhouettes blêmes. L'une porte Sarah, mutilée et nue dans ses bras. On met une couverture autour d'elle, qui offre au monde un visage inexpressif, l'air perdu, hagard, de celle qui voit plus loin que les murs, les portes, la cour.

C'est à cet instant qu'elle comprend l'énigme. L'être immobile. Maintenant, elle sait. Cet être cloué au sol, c'est l'enfant qui vient de naître et ne sait pas marcher, c'est le gisant qui attend allongé que la mort le prenne. C'est l'homme faible, brisé, blessé, mais qui se débat pour se relever. L'homme tout court.

Alors que montent les flammes, faisant craquer les charpentes, dévorant les vieux murs, léchant la façade de leurs langues jaune et rouge sur le fond jaune et rouge des feuilles, Sarah est aspirée dans une spirale de douleur, de plaisir et d'oubli. Autour d'elle, la maison rougeoie et se consume. Elle n'y voit plus l'incendie qui a interrompu le fil de sa vie, lors de son accident de voiture, mais un bûcher où se libèrent et s'envolent tous les péchés des hommes.

Elle remonte le visage vers la lumière, en haut, loin de l'ombre où Lucifer erre pour toujours. Dans le dernier cercle des Enfers, un enfer de froidure et de glace, où le gel l'empêche pour toujours de pleurer.

Libération

Sarah sent une main dans la sienne. Les yeux fermés, elle en reconnaît la forme et le grain. Elle reconnaît aussi la voix. Elle n'écoute pas ce qu'il dit mais elle perçoit la chaleur de son corps.

Elle ouvre les yeux dans une chambre d'hôpital. Un instant, elle se croit retournée là-bas, dans la cave de Lucifer, au fond du monde. Puis, son regard commence à s'accoutumer à la pénombre, à distinguer des formes plus précises, dans l'imbroglio gris du petit jour. En voyant par la fenêtre la promesse de l'aurore, elle comprend qu'elle a remporté la course.

— Et lui ?

— Coma. Ils ne savent pas encore s'il va vivre ou mourir.

Sarah aperçoit les crêtes des montagnes, qui se dessinent dans le lointain. Elle pense à mille choses à la fois. L'ombre des arbres lui rappelle des séries oubliées. Tout se répond, dans la nuit mourante. Tout respire, bruisse, la rumeur de l'air se diffracte d'arbre en arbre, d'arbre en pierres, de pierres en oiseaux.

Pour la première fois, les objets ne semblent plus immobiles ; pour la première fois, ils lui deviennent déchiffrables, habitables et vivants.

— Tu veux sortir ?

Sarah acquiesce de toutes les forces qui lui restent. Les premières lueurs apparaissent. Sarah a réussi à tenir jusqu'au bout, elle est passée au-delà de l'aube.

Surprise par la fraîcheur de l'air, elle pense aux saisons, à leur cycle éternel. Alexandre la soutient à bout de bras mais elle pose un pied, puis l'autre, sur le sol. Sous sa semelle crisse la poussière blanche. Elle lève le visage. Les arbres désignent des lieux au ciel. Le chant du large.

Plus loin, des résineux, baignés de soleil, étalent leur tapis vert tendre. C'est un endroit splendide pour vivre. Jamais elle n'a ressenti un besoin si pressant de s'approcher des feuilles. Déchirer leur rideau et fuir. Les cimes, au loin, se déploient pour tracer une route vers là-haut. L'au-delà où brillent les étoiles d'un éclat en demi-teinte, mourant sous les premiers éclats du jour. Le ciel de tous les possibles, le huitième ciel, celui des étoiles fixes.

À leurs pieds s'étend un tapis de fleurs bleues. Des fleurs bleues que Sarah n'a jamais vues et dont elle ignore le nom, si belles qu'elles semblent imaginaires.

Au milieu, Sarah peint son amie Clémence. Elle la couvre d'un voile pourpre. Un long linceul rouge comme un coquelicot. Puis, dans les plis du tissu, Sarah dépose quelques pistils d'or.

Serrant fort la main d'Alexandre dans la sienne,

Sarah déplie le paysage et s'élance. Le monde offre ses mille ramifications, le ciel immense, infinité de l'espace et du temps. Désormais, l'élargissement de sa pensée lui fait voir l'essentiel – les objets, les êtres – sans plus s'embarrasser des détails qui l'empêchaient de regarder. Son corps est rendu au-dehors, il appartient à la nature, à l'existence éternelle et sauvage des choses.

Les fleurs au nom inconnu ont couvert de bleu la vallée. Pour les voir, Sarah a traversé un chemin escarpé, boueux, un voyage immobile au-dessus du monde, puis en dessous de l'humanité, avant de remonter du gouffre avec un espoir, celui de bâtir des refuges où les hommes ne se dévorent plus entre eux, de vrais abris pour accueillir les gens cassés, difformes, infâmes, opprimés, tordus, battus, chétifs, pour ouvrir les bras à ceux qui ont tout perdu, jusqu'à leurs bras et leurs jambes, et parfois même leur visage.

Alexandre se serre contre Sarah. Il la regarde. Et même si elle vacille, même si elle pleure et que sa peau s'est couverte de plaies innommables, qui ne cicatriseront qu'en surface, Sarah est devenue l'image la plus proche qu'il se fasse de l'humanité.

Une humanité pauvre et nue, qui brille par intermittence.

Une humanité temporaire.

Les derniers voiles de l'aube se déchirent, et le jour leur apparaît. Un jour immense, qui garde la mémoire des étoiles.

Remerciements

Je tiens à remercier Léa Fazer, lectrice attentive et assidue de ce texte. Je voudrais également exprimer de ma reconnaissance à Jane Atwood, qui m'a généreusement ouvert sa porte et sa bibliothèque. Merci aussi à Aurélien, Carole, Lise et, évidemment, Benoît.

DU MÊME AUTEUR

Aux Éditions Gallimard

Dans la Série Noire

SON AUTRE MORT, 2019.

LES CORPS BRISÉS, 2017, Folio Policier nº 880.

ET ILS OUBLIERONT LA COLÈRE, 2015, Folio Policier nº 831.

L'EXPATRIÉE, 2013, Folio Policier nº 736.

BLACK BLOCS, 2012, Folio Policier nº 862.

LES YEUX DES MORTS, 2010, Folio Policier nº 656.

Dans la collection Folio 2€

PETIT ÉLOGE DES BRUNES, 2013, Folio 2€ nº 5638.

Composition : APS-Ie
Impression Novoprint
le 10 février 2019
Dépôt légal : février 2019

ISBN 978-2-07-284068-5/ Imprimé en Espagne.

347646